日本からの✈フライト時間

約4～6時間

香港の空港

香港国際空港 MAP 付録P.2 B-3
エアポートエクスプレスで
香港駅まで約24分、九龍駅まで22分

ビザ(香港・マカオ)

90日以内の観光なら不要

通貨と換算レート

香港ドル(HK$)

1HK$=約20円(2024年7月現在)

チップ

基本的に不要 ▶P.11

言語

中国語(広東語)、英語、
ポルトガル語(マカオ)

時差

東京	0	1	2	3	4	5	6	7	8	9	10	11	12	13	14	15	16	17	18	19	20	21	22	23
香港・マカオ	23	0	1	2	3	4	5	6	7	8	9	10	11	12	13	14	15	16	17	18	19	20	21	22

日本時間の同日

香港 マカオ

CONTENTS

香港でぜったいしたい10のコト…19

BEST 10 THINGS TO DO IN HONG KONG

GOURMET&CAFE…67

グルメ&カフェ

SHOPPING…109

ショッピング

本書の使い方

●本書に掲載の情報は2024年6～7月の取材・調査によるものです。料金、営業時間、休業日、メニューや商品の内容などが、本書発売後に変更される場合がありますので、事前にご確認ください。
●本書に紹介したショップ、レストランなどとの個人的なトラブルに関しましては、当社では一切の責任を負いかねますので、あらかじめご了承ください。
●料金・価格に関して、香港は「HK$」、マカオは「MOP」で表記しています。また表示している金額とは別に、税やサービス料がかかる場合があります。
●電話番号は、市外局番から表示しています。日本から電話をする場合には→P.165を参照ください。
●営業時間、開館時間は実際に利用できる時間を示しています。ラストオーダー(LO)や最終入館の時間が決められている場合は別途表示してあります。
●休業日に関しては、基本的に旧正月、年末年始、祝祭日などを除く定休日のみを記載しています。

本文マーク凡例

- ☎ 電話番号
- 交 最寄り駅、バス停などからのアクセス
- Ⓜ 地下鉄駅
- 所 所在地
- 休 定休日
- 料 料金
- HP 公式ホームページ
- J 日本語が話せるスタッフがいる
- J 日本語のメニューがある
- E 英語が話せるスタッフがいる
- E 英語のメニューがある
- 予約が必要、または望ましい
- クレジットカードが利用できる

地図凡例

- ★ 観光・見どころ
- 博物館・美術館
- E エンターテインメント
- N ナイトスポット
- H 宿泊施設
- R 飲食店
- C カフェ
- SC ショッピングセンター
- S ショップ
- e エステ・マッサージ
- i 観光案内所
- ビーチ
- 空港
- バス停

あなたのエネルギッシュな好奇心に寄り添って、
この本は香港滞在のいちばんの友達です！

誰よりもいい旅を！ あなただけの思い出づくり

香港へ出発！

香港に着いたら、まずは食事や買い物で街の雰囲気を感じたい。
最新のミュージアムや定番観光スポットから、
昔ながらの店や建物などディープな場所まで訪れよう。
見て、味わって、香港を知り尽くそう。

開運を目指して
歴史ある寺院や公園へ

POWER SPOT

黄大仙祠に参拝すれば訪れた人の願い事が叶うといわれている

HONG KONG

RENOVATION SPOT

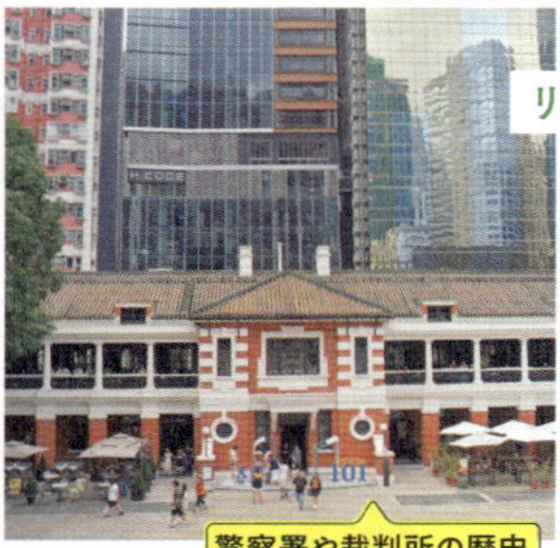

リノベスポットで 香港の新旧を感じよう

警察署や裁判所の歴史建築が並ぶ大館で歴史・文化を学ぶ

IMMIGRATION 出国 DEPARTED 10. SEP 2026 IMMIGRATION

SHOPPING

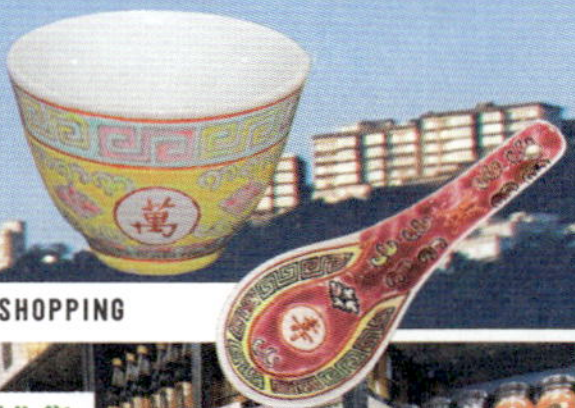

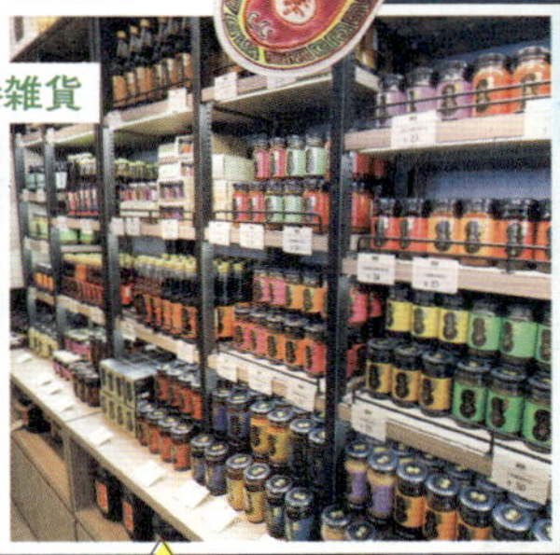

イギリスと中国、両方の文化を感じる香港雑貨

おみやげはカラフルで個性的なデザインの香港グッズに決まり

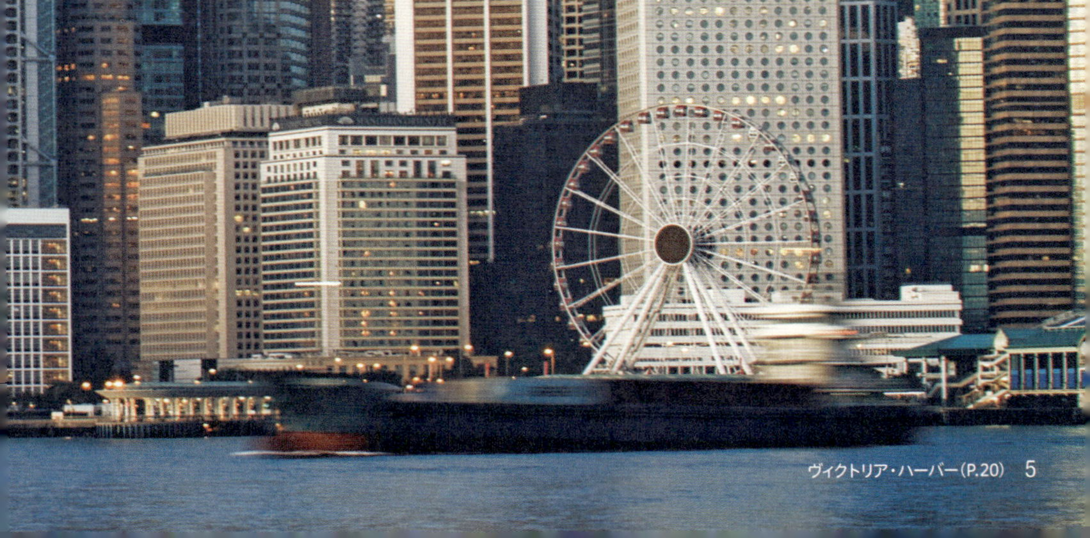

ヴィクトリア・ハーバー(P.20)

エムプラス(P38)
MUSEUM
美術館や街なかで
いろんなアートを見つけよう
話題のミュージアム、
エムプラスでさまざまな
作品を鑑賞する
ART SPOT
巨大集合住宅モンスター
マンションは見応えある
アートスポット
NF
5
ザ・ミルズ(P.37)

ザ・ロビー・ラウンジ(P.51)
香港の豪華な食事の数々を
贅沢に味わい尽くそう
DIMSUM
本場の絶品点心は必食。定番から変わり種まで試してみて!
CHINESE CUISINE
香港ゆかりの広東料理。フカヒレも一度は食べてみたい!
どこか懐かしい雰囲気の
香港喫茶でカフェタイム
茶咖里(P.95)

出発前に知っておきたい

街はこうなっています！
香港のエリアと主要スポット

どこに何がある？
どこで何をする？

グルメやショッピング、歴史スポットなど、遊びどころが豊富な香港。異なる特徴を持つ各エリアの魅力を紹介。

下町の問屋街をぶらりお散歩

A 深水埗 ▶P.140

深水埗 ● シャムスイポー

基隆街の手芸市場

九龍半島の北西部に位置する、下町のなかの下町。露店や問屋が街中にひしめき、ディープで雑多な雰囲気が感じられる。街のランドマークは、ショッピングモールの西九龍中心。

海沿いに超高層ビルが集中

B 中環・上環 ▶P.128

中環・上環 ● セントラル・ショウワン

中環名物の大観覧車

中環はイギリスの植民地時代から香港の中心として栄え、金融・ビジネスの中核エリアとなっている。中環の西に位置する上環も発展が著しいが、骨董街や古い寺院がレトロな雰囲気を残している。

昔懐かしい庶民の街にモダンが融合

C 西環 ▶P.134

西環 ● サイワン

ウォールアートに注目！

植民地時代に中国人居住地区として開発された西営盤や、香港きっての名門校・香港大学のあるエリア。古風な街並みが残る一方、近年新しいレストランやカフェも増加。アクセスが便利になり訪れる人が増えている。

香港ってこんな街

アジア屈指の国際都市。近未来を思わせる高層ビル群は圧巻の眺めで「百万ドルの夜景」として有名だ。賑わう繁華街や、路地裏の下町風情も魅力。

黄大仙祠
黃大仙駅
鑽石山駅
MTR觀塘線
九龍塘駅
樂富駅
太子道東
窩打老道
石硤尾駅
MTR東鐵線
太子駅
旺角東駅
旺角駅

九龍城渡輪碼頭
九龍湾
九龍 Kowloon
油麻地駅
彌敦道
MTR東鐵線
何文田駅
MTR觀塘線
黃埔駅
加士居道
佐敦駅
尖東駅
紅磡駅
E 尖沙咀
尖沙咀駅
尖東駅
尖沙咀プロムナード
ヴィクトリア・ハーバー
北角渡輪碼頭
北角(東)渡輪碼頭
MTR港島線
トラム
北角駅
海底隧道
炮台山駅

青空マーケットめぐりが楽しいエリア

D 佐敦・油麻地・旺角 ▶P.138

佐敦・油麻地・旺角 ● ジョーダン・ヤウマティ・モンコック

激安品がずらりと路地に並ぶ青空市場

翡翠の玉器市場、花園街、台所用品の上海街、さらに金魚街などさまざまな専門市場があり、路地に商品が所狭しと並んでいる。とりわけ旺角のナイトマーケット女人街は観光客に大人気。

九龍半島で一番の賑わいをみせる繁華街

E 尖沙咀 ▶P.136

尖沙咀 ● チムサーチョイ

歴史建造物の時計塔

飲食店や路面店が連なる一大繁華街で、きらめくネオンと雑踏に香港らしさが感じられる。ハーバー沿いには大型複合施設や高級ホテルが建ち、遊歩道も整備されている。

大都会と生活圏、2つの顔を持つ

F 金鐘・湾仔 ▶P.130

金鐘・灣仔 ● アドミラルティ・ワンチャイ

そびえる超高層ビル足元で感じる庶民生活

金鐘は海側に超高層ビルが並ぶビジネス街。隣り合う湾仔には政府機関が多く置かれるほか、香港コンベンション&エキシビジョンセンターがあり国際的な展覧会が開かれる。昔ながらの商店街が今もあり、庶民の息づかいが感じられる。

買い物好きならまずは訪れたい

G 銅鑼湾 ▶P.132

銅鑼灣 ● コーズウェイ・ベイ

若者たちで大賑わい!

タイムズ・スクエアやリーガーデンズなどの大型ショッピングモールがひしめき、夜遅くまで賑わっている。海沿いで行われる午砲の儀式では、イギリス統治時代の名残を見て取ることができる。

まずはこれをチェック！

滞在のキホン

通貨や物価、気候など、旅行前に知っておくと便利な香港の基本情報をまずはチェックしておこう。(マカオの基本情報は→P.153)

香港の基本

地域名(国名)
中華人民共和国
香港特別行政区
Hong Kong

人口
約750万人
(2024年推計)

面積
約1106㎞^{2}

言語
中国語(広東語)、英語、ポルトガル語(マカオ)

宗教
仏教、道教、キリスト教、イスラム教など

政体
人民民主共和制
(一国二制度を適用)

行政長官
李家超(2022年7月～)

日本からの飛行時間

直行便は日本各地から。4～6時間のフライト

日本航空、全日空、キャセイパシフィック航空など数社が日本各地から直行便を就航しており、所要4～6時間。ランタオ島に香港国際空港があり、香港市内へはエアポートエクスプレス(→P.169)が便利。

香港国際空港 MAP 付録P.2 B-3

為替レート&両替

1香港ドル(HK$)=20円。銀行、両替所を利用

通貨単位は香港ドルで、表記はHK$。両替は空港や銀行、大手ホテルやデパート、免税店などの両替所で可能。空港やホテルはほかに比べレートがあまり良くない。街なかの両替所は店によってレートが異なるので、両替前に確認を。

パスポート&ビザ

90日以内ならビザは不要

パスポートは香港到着時に残存有効期間が滞在日数以上あれば有効。観光目的で滞在90日以内ならビザは不要。ただし、香港出国用の予約済み航空券(または乗船券)を所持する必要がある。それ以上の滞在日数の場合は、日本の中華人民共和国大使館でビザを申請。

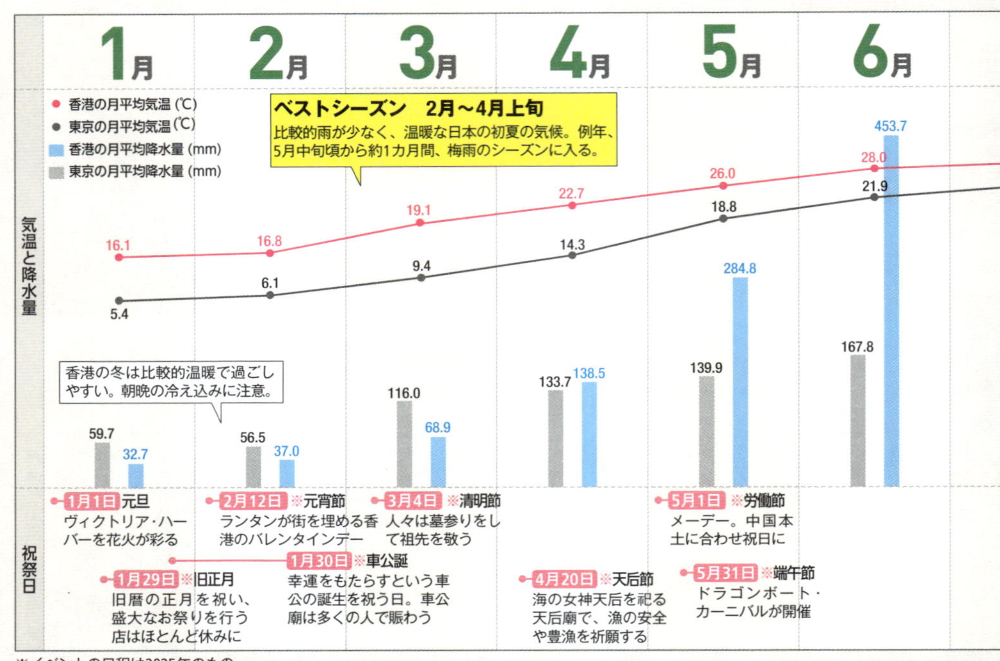

※イベントの日程は2025年のもの

日本との時差

❖ 日本との時差は−1時間。日本が正午のとき、香港は午前11時となる

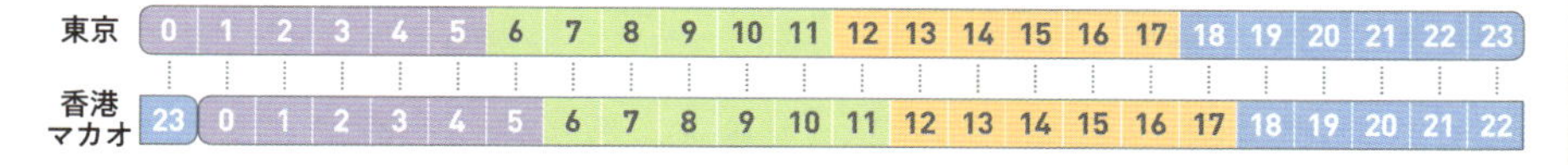

言語

❖ 基本は中国語(広東語)

日常的に使われている主な言語は中国語(広東語)。またイギリス文化が浸透しているため、英語が通じるところも多い。さらに観光地やホテルでは日本語が通じることも。タクシーで目的地を告げる場合、漢字の筆談でほとんど通じる。

交通事情

❖ MTRとタクシーを併用して観光しよう

地下鉄のMTRが市内を縦横に走っており、安いうえに外国人観光客にも利用しやすくて便利。タクシーも日本に比べれば安いので、MTRと組み合わせて観光に利用したい。路線バスも発達しているが、旅行者にはわかりにくく香港旅行の上級者向き。

物価&チップ

❖ 物価は日本とあまり変わらず、チップは不要

物価は日本とあまり変わらないが、ホテルはかなり高め。チップの習慣はあるが、サービス料が加算されているレストランならおつりの小銭を渡す程度でOK。ホテルやレストランで特別なリクエストに応じてもらったときなどは、HK$10程度のチップを渡そう。

治安

❖ スリや置き引きなどの盗難に注意

香港の治安は比較的落ち着いているが、日本人はスリや客引き、ぼったくりタクシー被害のような軽犯罪の標的にされやすい。事前に現地の事情を把握し、出かける際は身軽にかつ人混みでは貴重品を意識して、タクシーは事前に料金を確認するなど安全対策を。

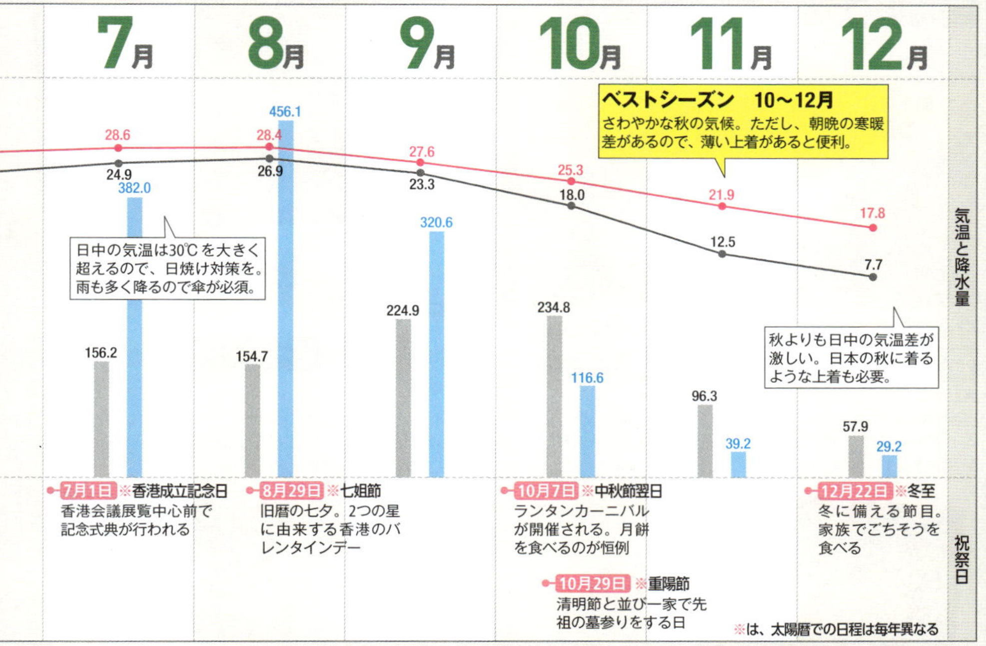

※月平均気温、月平均降水量は国立天文台編『理科年表2023』による。香港の月平均気温は1992〜2020年の平均値

NEWS & TOPICS

ハズせない
街のトレンド！

香港のいま！ 最新情報

ニューオープンや街のトレンドなど、注目の最新ニュースをしっかり押さえて、旅のプランに組み込んでみたい。

アートに包まれ街がアップデート ウエスト・カオルーンがアツい！

九龍半島西部のハーバー沿いに、アートとカルチャーが集結する街として、西九龍文化地区が誕生した。エリア内には戯曲センターや、エムプラス、香港故宮文化博物館などのミュージアムが次々とオープンし、周辺の遊歩道や公園とともに香港の最旬観光スポットとして注目を集めている。

西九龍 MAP 付録P.19

▶P.38

ビルやミュージアムが密集する九龍半島西側

2021年11月オープン

エムプラス
M+

⇧アジア最大規模の視覚芸術美術館エムプラス

⇦中国生まれのアーティスト洪浩の作品

香港故宮文化博物館
香港故宮文化博物館
Hong Kong Museum of Art

⇨香港故宮文化博物館に展示される図屏風

2022年7月オープン

2023年12月オープン

西は湾仔フェリー埠頭、東はハーバーチルに隣接する

ヴィクトリア・ハーバーを望む新たなスポット 香港島ハーバーサイド遊歩道が完成

湾仔のウォータースポーツとレクリエーションのエリア。地区全体の面積は約1.7haと広大。展望台や多目的広場、人工芝、日除け施設などが備わり、水上と陸上のアクティビティを体験することができる。

⇦クリスマスには鉄道をテーマにした飾り付けが

2022年8月リニューアル

香港のシンボル ピーク・トラム がリニューアル

ヴィクトリア・ピークへの移動手段に欠かせないピーク・トラムがバリアフリーでより安全な鉄道に生まれ変わった。さらに、中央駅と山頂駅の改修も完了。

中環 MAP 付録P.4 B-4

▶P.21

待ち時間も短縮され旅がより快適に

2023年11月オープン

香港ディズニーランド・リゾートに ワールド・オブ・フローズン が誕生

ディズニーアニメーションの『アナと雪の女王』でおなじみのアレンデール王国を再現した世界初の新エリア。エリア内では3つのアトラクションとエンターテインメント、レストランや買い物を楽しむことも。

愉景湾 MAP 付録P.2 C-3

▶P.143

➡エルサとアナに会える

⬇アレンデール城や氷の宮殿も再現されている

⬆香港ディズニーランド・ホテルの客室に『アナと雪の女王』オプションを付けることも可能

2023年1月オープン

アジア各地の美食が集まる BASEHALL02で食体験

中環にある高層ビル、ジャーディン・ハウスに13店の飲食店が出店するフードコートがオープン。ランチ、ハッピーアワー、ディナーなど時間に応じた利用が可能。支払いはキャッシュレス決済のみのため注意。

中環 MAP 付録P.13 E-3

交Ⓜ中環駅A出口から徒歩5分 所康楽広場1号怡及大廈LG楼 営11:00～22:00 休日曜、祝日

中国のタイルや日本のオーク材パネルが使われた店内

⬆ピンキー・ベーカリーのコーヒードーナツ

⬅カジュアルな潮州料理を提供する潮樂園

2022年7月オープン

世界初のフラトンリゾート フラトン オーシャン パーク ホテル 香港 開業

シンガポールで展開してきたホテルブランドが逆輸入される形でオープン。客室はすべて白を基調とし、海をイメージした青色もワンポイントに使っている。持続可能性をテーマにした高級リゾートで静かな時を過ごすことができる。

香港仔 MAP 付録P.20 B-2

☎2166-7388 交Ⓜ黄竹坑站から車で5分 所3 Ocean Dr. 料Ⓣ HK$1800～ 室数425室 HP www.fullertonhotels.com/fullerton-ocean-park-hotel-hongkong

南シナ海を見渡す大パノラマを楽しめる

⬅子どもたちが思いきり遊べるキッズルーム併設のウォーターワールド

地元住民待望の地下鉄路線 MTR屯馬線が拡張

2023年12月開通

屯馬から紅磡まで走る「西鐵線(ウエストレールライン)」と「馬鞍山線」が結ばれて、途中に新しい駅が4つ誕生した。

アクセスの悪かった九龍城地区にも行きやすくなった

TRAVEL PLAN HONG KONG

至福の香港 モデルプラン

とびっきりの
3泊4日

おいしいものを食べ、伝統を体験し、最旬トレンドもキャッチしたい。
香港を満喫し尽くしたい人のための、よくばりプランをご提案。

旅行には何日必要？

初めての香港なら
3泊4日以上

出発日・帰国日で各半日程度を移動に費やしてしまうため、最低3泊4日は必要。グルメに夜景、ショッピングなどお楽しみ満載！

プランの組み立て方

初めての訪問なら、王道スポットを中心に
飲茶にマンゴー、百万ドルの夜景やパワースポットなど、滞在・見学に時間を要するスポットをメインに考えて、合間にカフェやショップめぐりなどを挟むとプランが立てやすい。

市内の移動は地下鉄(MTR)とタクシーで効率よく
香港市内の移動は、地下鉄網が発達しているので便利。グループ旅行や近距離の移動なら、タクシーを使うのもおすすめ。

午前中は大型施設を中心に訪れよう
カフェやショップなどは、営業開始時間がお昼近くの場合が多い。早めに営業を開始する大型施設・観光スポットを午前中にあてると、時間が有効に使える。個性豊かな市場や朝食にもこだわれば、旅もより充実すること間違いなし。

レストランの予約は早めに
どうしても行きたい高級店や人気店は、まずお店の予約が取れることを確認してから航空券やホテルを手配するほうがいい。

【移動】日本➡香港

DAY 1

1日目から香港を満喫するには頑張って早起き。
初日は地元の広東料理でお腹を満たしたい。

アジアのハブ空港は連日多くの人で賑わう

14:00 香港到着

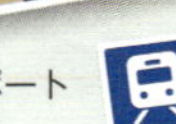

エアポートエクスプレスで24分

香港国際空港に到着したら、エアポートエクスプレスで香港市内を目指そう。

15:00 中環駅界隈のホテルにチェックイン

徒歩10分

駅の近くにホテルが多く、観光の拠点にもぴったり。荷物を置いたら身軽に香港観光をスタートしたい。

15:30 大館でアート＆歴史体験 ▶P.34

Art

歴史も芸術もグルメも買い物も、まるごと楽しめる注目のリノベスポットへ。館内は歴史遺産の宝庫！

⬆香港警察の歴史を伝える施設もある

徒歩3分

18:00 伝統的な老舗広東料理を ▶P.76

人々に愛され続ける広東料理の老舗を訪れよう。日本では味わえない食材にも挑戦すれば香港ツウ！

⬅⬆ローストしたガチョウを使った料理が目玉

徒歩5分

20:00 隠れ家バーで大人な時間 ▶P.49

夜はおしゃれなカクテルが味わえる隠れ家バーへ。オーナーの個性が光る独特な雰囲気が漂う空間でバーテンダーが生み出す芸術的な美酒を堪能したい。

➡花で彩られたカクテルがライトアップ

薬局をコンセプトにしたドクター・ファンズ・ジン・パーラー

香港らしさを感じる絶景を求めて街へ。トレンド感満載のレストランやショップもチェックしたい。

10:00 ヴィクトリア・ピークで香港を見晴らす P.21

ピーク・トラムに乗って香港を見渡せる観光地、ヴィクトリア・ピークへ。香港島から九龍まで、賑わう香港を眼下に望むことができる。

ピーク・トラムと徒歩で約30分

ピーク・タワー屋上にあるスカイテラス428からの眺めは圧巻！

12:00 最新おしゃれダイニングでランチ P.73

ミシュランも獲得したレストラン、モノで、最新ラテンアメリカ料理を味わおう。

MTRと徒歩で約60分

14:00 エムプラスでビジュアルアートを鑑賞 P.38

西九龍に誕生したアジア最大規模のミュージアム。国内外から集められた絵画や展示を心ゆくまま堪能したい。

MTRと徒歩で約10分

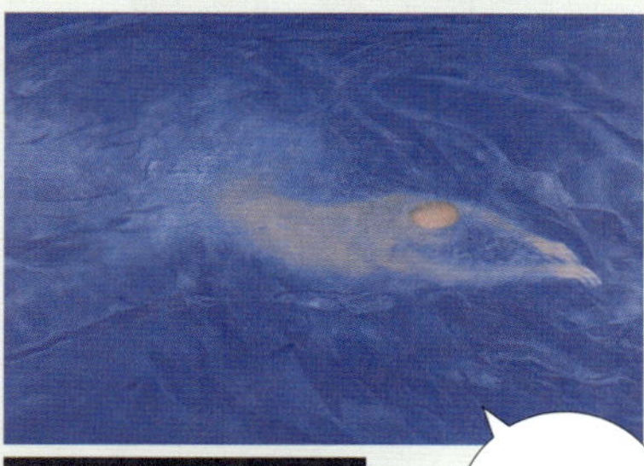

中国出身のアーティスト方力鈞の作品

ミュージアム内にはひと息つけるカフェやレストランも

18:00 高級北京料理に舌鼓 P.82

中国の首都・北京で親しまれる北京料理でスタミナをつけよう。

一度は食べてみたい本場の北京ダック

徒歩8分

20:00 光と音の饗宴 P.22 シンフォニー・オブ・ライツ

ヴィクトリア・ハーバーで20時から開催されるショーへ。華やかな光や音楽は忘れられない思い出に。

Show

尖沙咀プロムナードは人気スポットなので早めに到着するとよい

【移動】黄大仙➡湾仔➡銅鑼湾

DAY 3

九龍を北から南へ縦断しながらパワスポで開運を美容にうれしいグルメ＆スパでキレイになろう。

9:30 九龍半島屈指のパワースポット黄大仙祠へ
▶P.62

香港にはいたるところにパワースポットが。良縁祈願や金運、健康運アップなど、神様を味方につけて最強の運気をゲット！

香港で篤く信仰される道教寺院、黄大仙祠。境内には占いブースも

MTRと徒歩で約35分

11:00 ヘルシーランチで体の内側からキレイに♥
▶P.90

ベジタリアンはもちろん、誰でも満足できること間違いなし！低カロリーで栄養満点の素食が味わえる金鐘の老舗へ。

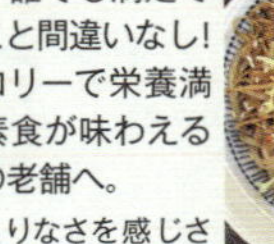

➡物足りなさを感じさせない進化する素食

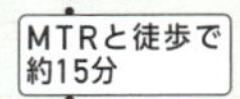

MTRと徒歩で約15分

14:00 香港といえばマンゴー！フルーツ系スイーツ
▶P.104

香港にはマンゴーをはじめとするフルーツを使ったスイーツ店がたくさん。フレッシュな極上デザートはまさに別腹！

徒歩10分

15:30 大人のプチ贅沢！癒やしのスパで体磨きの時間
▶P.52

高級ホテルには泊まれなくてもスパだけなら…。至福の時間を自分へのご褒美に。

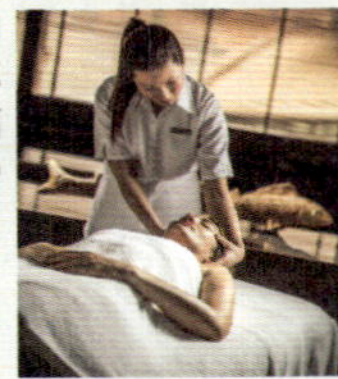

➡グランド・ハイアットで贅沢スパ体験

MTRと徒歩で約20分

18:00 薬膳たっぷりパワーフード火鍋をいただきます！
▶P.88

あつあつ具だくさん！クセになるスープがたまらない火鍋は、薬膳やカプサイシンの効果で美容効果が期待できるかも!?

MTRと徒歩で約25分

十下火鍋はスープと具材をカスタマイズして自分好みの火鍋が作れる！

20:00 オープントップバスで夜の香港を満喫
▶P.60

名物の乗り物も旅の醍醐味。街なかをバスで走り抜ける爽快感と香港の熱気を感じたい。ツアー参加がおすすめ。

ツアー参加の申込は日本からでもOK。開催会社のHPなどをチェックして

➡オープンエアの2階席は人気が高いので早めに並ぼう

【移動】中環➡香港国際空港➡日本

DAY4

9人のアーティストが描いている作品を間近で見てみよう

Artlane

9:30 迫力のウォールアート！ アートレーンへ行こう ▶P.42

MTRと徒歩で約15分

西營盤駅周辺に登場したSNS映え間違いなしのアートスポットで撮影会スタート！

⬇➡色とりどりのウォールアートが並ぶ

11:30 個性いろいろ！ 変わり種飲茶を味わう ▶P.30

味付けや食材など、アレンジされた個性あふれる飲茶も絶品！

⬆墨で色付けされた黒いカスタードまん

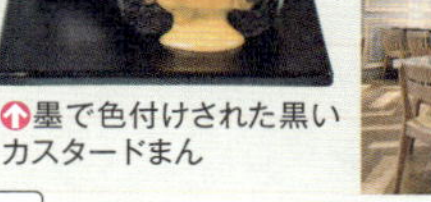
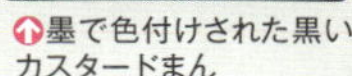

MTRと徒歩で20分

13:00 香港ならではのスーパーでみやげをゲット！ ▶P.124

ここでしか買えない物を求めて、街のスーパーに立ち寄り。お菓子や調味料、紅茶など、バラマキみやげにぴったり。

徒歩13分

14:00 旅の最後は香港伝統のスイーツで締め！ ▶P.106

香港伝統のスイーツは、食べすぎのお腹にも重くないのが魅力。やさしい甘さに癒やされて。

MTRと徒歩で約40分

➡おしるこや豆腐花など、日本人にもなじみのある懐かしい味わい

夕方 香港国際空港から日本へ

好みのままに。アレンジプラン

魅力いっぱいの香港には、まだまだ人気スポットがたくさん。
好みに合わせて行き先をチョイスしよう。

ひと足延ばし、自然豊かな香港に出会おう

香港リゾートの赤柱（スタンレー）&淺水湾（レパルスベイ）へプチトリップ

香港島の中環からバスに乗って南下すると、香港屈指のパワースポット、レパルスベイが。ハリウッド映画『慕情』の舞台にもなったこの地は海水浴場として有名。スタンレーは海辺のリゾートとして人気が高い。

↑ヴィクトリア様式の歴史的建造物のマレーハウス

海沿いにはカフェやショップが立ち並ぶ

↑金運、恋愛運、健康運など縁起のいい神様が集結する

↑マンションの中央に開いた穴は龍の通り道

淺水湾（レパルスベイ）へのアクセス

MAP 付録P.20下図

中環の交易広場バスターミナルから赤柱行きのバス(6、6X、220など)に乗車し約30分。淺水灣海灘停留所で下車。

赤柱（スタンレー）へのアクセス

MAP 付録P.3 F-4

中環の交易広場バスターミナルから赤柱行きのバス(6、6X、220など)に乗車し約45分(金鐘駅C1出口前のバス停・金鐘花園などからも乗車可)。赤柱村で下車。

世界遺産巡りを楽しむ

異国情緒を感じるマカオの旅 ▶P.151

ポルトガル統治時代の面影が残るマカオ。古今東西の文化が入り交じるノスタルジックな街並み、世界遺産の数々を巡り、独特な食文化にもふれたい。

↑古き良き中国を思わせる福隆新街には、人気のレストランが並ぶ

↑セナド広場はマカオを代表する場所

↑マカオらしいおみやげもぜひゲットしたい

一日中遊び尽くそう!

香港ディズニーランド・リゾートを満喫 ▶P.142

ランタオ島にある香港ディズニーランド。生まれ変わったお城『キャッスル・オブ・マジカル・ドリーム』や『アナと雪の女王』のエリア『ワールド・オブ・フローズン』など見どころは盛りだくさん。

キャラクターとの記念撮影も楽しみ♪

↑「モーメンタス ナイトタイム スペクタキュラー」のショー

↑「ミスティック・ポイント」は香港オリジナルのテーマランド

↑世界初&世界最大級の『アナと雪の女王』をテーマにしたエリア「ワールド・オブ・フローズン」

BEST 10 THINGS TO DO IN HONG KONG

香港で ぜったいしたい 10のコト

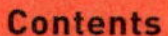

Contents

香港で見たい、感じたい大パノラマの超絶景

01 ヴィクトリア・ハーバー 香港の美景を楽しむ!

船の行き交うヴィクトリア・ハーバーと沿岸を埋め尽くす摩天楼。
自然と都市がつくり出す絶景を眺めに世界各地から人々が訪れる。

Victoria Harbour

美しい景色はここから眺める! Viewスポット BEST 3

香港島をぐるりと一望

スカイテラス428

摩天台428 Sky Terrace 428

MAP 付録P.4 B-4

標高428m地点にある有料展望台。香港一高い位置にある展望台で、パノラマビューが楽しめる。

☎2849-0668 交ピーク・トラム山頂駅直結のピーク・タワー屋上階 所山頂道128号 開10:00(土・日曜、祝日8:00)~22:00 休無休 料HK$75 HP www.thepeak.com.hk/ja

歴史のある無料展望台

獅子亭展望台

獅子亭展望台 シジーテンジン
Lions Pavilion

MAP 付録P.4 B-4

スカイテラス428のすぐ近くにある中国風あずま屋の展望台。無料で気軽に夜景も楽しめると人気。

交ピーク・トラム山頂駅からすぐ 所芬梨徑
営休料見学自由

「これぞ香港！」といえるため息の出る絶景 昼と夜の顔に香港のダイナミズムを感じる

香港に来て見逃せないのが、エネルギッシュで美しい街の絶景。香港島のヴィクトリア・ピークから見下ろすハーバーの眺めは香港随一の美しさ。船の行き交うハーバーと対岸に山並みの連なる九龍半島、びっしりと林立する高層ビル群が醸す昼間の風景。そして、摩天楼にキラキラと明かりが灯る百万ドルの夜景。どちらも香港を象徴する美景だ。ヴィクトリア・ピーク以外にも、高層ビルの展望台やクルーズ船など、美景スポットはさまざま。九龍側からは、ハーバーの夜を舞台にしたダイナミックな光と音のショーを満喫しよう。

世界三大夜景のひとつに数えられる夜景は外せない！

01 ヴィクトリア・ハーバー

香港島の最高峰から見下ろすマストな定番絶景スポット

ヴィクトリア・ピーク

太平山（扯旗山） Victoria Peak

MAP 付録P.4 B-4

香港島の最高峰・標高552mの扯旗山(ちぇきさん)の山頂付近に広がる人気の絶景スポット。眼下に高層ビル群が林立し、その向こうに九龍半島と香港島に挟まれたヴィクトリア・ハーバーが見下ろせ、香港の最も美しい風景に出会える場所。展望台のほか、レストランなど観光施設も揃っている。

アクセスはピーク・トラムで

ヴィクトリア・ピークへの足は、香港名物の登山電車「ピーク・トラム」がおすすめ。開通は1888年。麓から急勾配を上り、ピーク・トラム山頂駅まで約10分でたどり着く。傾いた車窓の眺めも楽しい。

営7:30～23:00 休無休 料片道HK$37、往復HK$52、ピーク・トラム＆スカイパス（展望台）往復HK$99 HP www.thepeak.com.hk/ja

MAP 付録P.4 B-4

オープントップバスでピーク・トラム花園道駅へ

中環バスターミナルからピーク・トラム花園道駅へバスが運行。オープントップバスは約30分間隔で走っている。

営10:00～23:40（中環バスターミナル発） 休無休 料片道HK$4.20（オクトパス・カード利用可）

散策しながら展望台へ

盧吉道

盧吉道 Lugard Road ルガード・ロード

MAP 付録P.4 B-4

ピーク・タワーから山腹に続く外周道路。崖沿いのトレイルを進むと、ハーバーを望む展望台がある。

交ピーク・トラム山頂駅から徒歩5分

information

● ピーク・トラムの行列回避の簡単小技
いつも行列ができるピーク・トラム。交通系カードのオクトパス・カードがあれば、チケット売り場に並ばずに改札へ直行できて便利。

● 大自然のなかを歩いて下山もおすすめ
昼間であれば、帰りは登山道をゆっくり歩いて下るという方法も。下山コースはいくつかあるので地図で確認を。急坂もあるのでサンダルは避けたい。

九龍サイドから

光と音の一大スペクタクル

海と空がきらめく光のシンフォニー

香港の夜が最も色鮮やかに輝く約10分間の光のショー。お気に入りの特等席でファンタスティックな夜を!

香港の夜景がよりカラフルに
写真映え間違いなしの光のショー

シンフォニー・オブ・ライツ

A Symphony of Lights

毎晩20時にヴィクトリア・ハーバーで催される無料の光と音のショー。両岸に並ぶ40棟以上の高層ビルから色鮮やかなサーチライトやレーザー光線が放たれ、音楽に合わせて点灯。ビルの壁面を利用した画像演出もお見逃しなく。

所幻彩詠香江
開20:00～20:10

LEDパネルを使った画像が夜の街にカラフルに浮かび上がる

シンフォニー・オブ・ライツは、ここから観る!

迫力あるビル群の光景を満喫

オーシャン・ターミナル・デッキ

海運觀點 Ocean Termianal Deck

MAP 付録P.6 A-4

ハーバーに突き出たオーシャン・ターミナル先端の屋上にある展望デッキ。間近にビル群のきらめきやレーザー光線を眺められる。

☎2118-8666 交Ⓜ尖沙咀駅L6出口から徒歩15分 所海港城 開7:00～24:00 休無休 料無料

遮るもののない270度のパノラマビューを満喫できる

スターと写真撮影ができる
アベニュー・オブ・スターズ
星光大道 Avenue of Stars

MAP 付録P.6 C-4

香港映画スターの手形や銅像が並ぶアベニュー・オブ・スターズ。香港映画をたたえるモニュメントであり、海辺に続くプロムナードはショーを観るにも絶好のスポット。

交Ⓜ尖沙咀駅J出口から徒歩3分 所海浜平台花園 開休料散策自由

広々としたスペースで観賞。ベンチもある

ブルース・リー像も移転先から戻ってきた

人気の定番観賞スポット
尖沙咀プロムナード
尖沙咀海濱花園 Tsim Sha Tsui Promenade

MAP 付録P.7 E-3

ショーを真正面から眺められる定番の観賞スポット。音もよく聞こえ、座っての観賞が可能。混むので早めに到着を。

交Ⓜ尖沙咀駅L6出口から徒歩4分 所公衆碼頭 開休料散策自由

カラフルな光を反射する水面もきれい

こんなところからも観賞！

クルーズ船で海上から楽しむ
スター・フェリー
天星小輪 Star Ferry ▶P.25

レトロな船に乗って観賞
アクア・ルナ
張保仔帆船 Aqua Luna ▶P.25

ショーも夜景も存分に満喫
香港摩天輪
香港摩天輪 Hong Kong Observation Wheel

MAP 付録P.13 F-2

中環にある高さ約60mの観覧車。さまざまな高さからショーを見学できる。

☎2339-0777 交Ⓜ香港駅B2出口から徒歩10分 所民光街33号 開12:00～22:00 金～日曜、祝日11:00～23:00 休無休 料HK$20

©iStock.com/MC Yeung

香港一望のワイドビューを体感

香港一の高層ビルから眺める

ヴィクトリア・ピークの眺めは素晴らしいけれど、ワイドな眺めを楽しみたければ香港一ののっぽビルへGO!

香港の街のパノラマが広がる楽しい撮影&体験スポットも

スカイ100

天際100香港觀景台 Sky 100

MAP 付録P.19 B-4

香港一の高さの高層ビル、ICCビルの100階にある展望台。海抜393mの高所から360度のパノラマビューを楽しめる。九龍半島の西の先端のハーバー沿いに立ち、香港島と九龍側の両方を広範囲で眺められるのが魅力。スマホのARアプリでハーバー上空を飛ぶ写真を撮ったり、VR体験をしたりと、ユニークな仕掛けが豊富。カフェやショップなどもある。

☎2613-3888 交Ⓜ九龍駅C1出口から徒歩5分 所柯士甸道西1号環球貿易広場100F 開10:00～20:30(最終入場20:00)※一部デッキが改修のため閉鎖する時期あり 休無休 料HK$178

海上から

九龍と香港島の行き来は眺望抜群の名物フェリーで

スター・フェリー

天星小輪 Star Ferry
MAP 付録P.6 B-4

九龍と香港島を8〜10分で結ぶ香港名物のフェリー。1888年から市民の足として長年親しまれている。格安の料金でヴィクトリア・ハーバーや摩天楼の眺めを満喫できると観光客にも人気の乗り物。九龍・尖沙咀〜香港島・中環、または尖沙咀〜湾仔の2路線を運航している。

営6:30〜23:30 料HK$4〜

レトロな名物フェリー。煙突には名前にちなんだ星のマークが

スター・フェリーのお手軽観光クルーズ

スター・フェリー・ハーバー・ツアー

Star Ferry Harbour Tour

スター・フェリーが主催する観光クルーズ。シックな内装のクルーズ船に乗り、ヴィクトリア・ハーバーを60分かけて一周。毎日1時間おきに運航し、昼間と夜で料金が異なる。夜景を満喫できるナイト・トリップが人気。ドリンクチケット付き。

☎2118-6203 営尖沙咀発15:45〜、16:45〜、18:45〜、19:45〜(この回だけシンフォニーオブライツ付) 休無休 料デイ・トリップHK$230、ナイト・トリップHK$280(シンフォニーオブライツ付) HP www.starferry.com.hk/ E

人気のプランをチェック

シンフォニー・オブ・ライツのショーの時間に合わせたクルーズを1日1回運航。予約して出かけたい。

レトロな赤い帆船が近代都市・香港の夜景に映える！

気分を盛り上げるレトロな帆船ソファ席に座ってのんびりと

アクア・ルナ

張保仔帆船 Aqua Luna
MAP 付録P.6 C-4

香港でかつて活躍していた木造帆船(ジャンク船)を模したレトロ船でのクルーズ。ヴィクトリア・ハーバーを約45分かけて巡る。屋内外にソファ席やデッキ席が設けられ、ビールやジュースを飲みながらくつろいだ時間を過ごせる。日中のデイクルーズとナイトクルーズ、シンフォニー・オブ・ライツのショーの時間に合わせたクルーズのほか、食事付きのディナークルーズも用意している。公式サイトなどで予約ができ、空きがあれば予約なしでの当日の乗船も可能。

☎2116-8821 営17:30〜20:45(毎時30分、45分に出航) 休無休 料HK$270、シンフォニー・オブ・ライツ・クルーズはHK$330(すべて1ドリンク付) HP aqualuna.com/
E E

Dim Sum

想像を超えます!飲茶の味と種類

02 絶品!飲茶コレクション

香港に来たら食べずには帰れない香港名物の飲茶。
各店自慢のこだわり点心の数々を堪能して。

高級ホテルのレストランで
洗練された点心を味わう

金葉庭

金葉庭 ガムイップティン
金鐘 MAP 付録P.14 B-3

コンラッド香港の広東料理レストラン。シュウマイにアワビを用いたり腸粉はXO醤で炒めピリ辛にするなど、伝統的な点心に高級感と個性を加えた洗練された点心を楽しめる。

☎2822-8870 交Ⓜ金鐘駅F出口から徒歩5分 所金鐘道88号太古広場香港港麗酒店LL層 営11:30〜15:00、18:00〜23:00 休無休

飲茶ガイド

方式	オーダー式
時間	11:30(土・日曜、祝日9:00)〜15:00
点心	約25種類
予算	HK$78〜

灌湯上海小籠包
HK$99
皮の中から肉汁とアツアツのスープがジュワ〜ッ

おすすめ

水晶蝦餃
HK$128
プリプリした食感が人気のエビ蒸し餃子

梅菜豆藁叉焼包
HK$99
梅菜(中国の漬物)入りのチャーシューまん

特製鮑魚焼賣皇
HK$128
定番のシュウマイにアワビをのせた高級点心

網絲蝦粉巻 HK$108
揚げたエビをライスクレープで包んでいる。サクサクの食感

XO醤煎腸粉 HK$108
腸粉をオリジナルのXO醤で炒めピリ辛に

⬇高級感があり落ち着いた店内。飲茶なら最高級店の味を比較的手ごろに味わえるのも魅力

飲茶のキホン 1

飲茶って何?
飲茶とは、お茶を飲みながら蒸し餃子、シュウマイなどの点心を食べる、中国の広州で始まった食習慣。香港ではほとんどの広東料理店で飲茶が食べられる。

点心って何?
点心とは、一口で食べられるような軽食を指し、主に鹹点心(塩味)、甜点心(甘味)、小吔(麺類やご飯もの)、果子(フルーツ)の4種類があり、バリエーション豊か。

食べられる時間は?
店によって異なるが、11:30〜14:30頃に提供されるのが一般的。また時間帯によって提供されるメニューが異なる店も。点心専門店などでは一日中点心が食べられる。

食べ方は?
飲茶で使う食器は主に湯呑み、茶碗、小皿の3点セットにレンゲと箸。食べたい点心を茶碗と小皿に取り分けて食べる。

エレガントな空間で楽しむ
モダンにアレンジした点心

都爹利会館

都爹利會館 Duddell's ダドルズ

中環 MAP 付録P.13 D-4

「エレガント系飲茶ならココ」といわれる有名店。アートが飾られた空間でモダンにアレンジした広東料理を楽しめる。週末は点心食べ放題(シャンパン付き)HK$770も。

☎2525-9191 交Ⓜ中環駅G出口から徒歩5分 所都爹利街1号上海灘3至4F 営12:00～15:00、18:00～23:00(日曜は～21:00) 休無休 E E

飲茶ガイド

方式	オーダー式
時間	12:00～14:30
点心	約20種類
予算	HK$68～

溏心南非吉品鮑魚焼鵝酥 HK$158
香ばしく焼いたガチョウ肉をパイで包みアワビを添えた点心

魚籽澳洲帯子焼賣 HK$118
ホタテの蒸し餃子。やさしい甘みに魚卵の塩気が絶妙

香煎野菌蘑菇包 HK$68
きのこの風味と食感が特徴的な饅頭

ハーバーを望むガーリー&
ゴージャスな店で飲茶タイム

唐人館

唐人館 China Tang チャイナタン

中環 MAP 付録P.13 E-4

花柄やオレンジを基調にした華やかな空間は、インテリアブランド、上海灘(シャンハイタン)の創業者デビッド・タン氏によるもの。有名店で経験を積んだシェフが、新鮮な食材を使いていねいに作る点心はどれも美味。

☎2522-2148 交Ⓜ中環駅D1出口から徒歩3分 所皇后大道中15号置地広場中庭4楼411-413号店 営12:00～15:00、18:00～22:00 休無休 J E E

↓セントラルの高層ビル群に囲まれた、ランドマークアトリウムの4階にある

アバロンバン HK$158
アワビをボーローバオで挟んだ小さなハンバーガーのようなもの

石榴山竹牛肉 HK$158
香港の定番料理で、ひき肉を湯葉で包んだもの

新鮮な食材を選び、ひとつひとつ手作りしている自慢の点心です

黒蒜帯子餃 HK$128
黒い皮に金粉がまぶされており見た目もゴージャス

飲茶ガイド

方式	オーダー式
時間	12:00～14:30
点心	約50種類
予算	HK$66～

シェフの創造性が光る、目にも美しい点心を味わって

香宮

香宮 ヒョンゴン

尖沙咀 MAP 付録P.7 E-3

点心を作るのは30年以上の経験と数々の受賞歴を持つ張シェフ。食材、調理方法、盛り付けまですべてにこだわって作る点心は、目も舌も存分に楽しませてくれる。

☎2733-8754 交Ⓜ尖東駅P1出口から徒歩2分 所Ⓗカオルーン・シャングリ・ラ(→P.150)地下1層 営12:00〜14:30(土・日曜、祝日10:30〜15:00)、18:30〜22:30 休無休 J E E

↑高級ホテルらしい豪華な店。アラカルト料理も評判

食材を吟味して作る点心は味はもちろん彩りや形も楽しめます

飲茶ガイド

方式 オーダー式

時間 12:00〜14:30 土・日曜、祝日10:30〜15:00

点心 約20種類

予算 HK$69〜

↑三色寶盒HK$158。蒸し餃子3点盛り

おすすめ

XO醬炒蘿蔔糕 HK$128

もちもちとした食感のXO醬の大根餅

碧綠安蝦鹹水角

HK$100

リンゴを模した海鮮入り五目餅餃子

韭黃鮮蝦腸粉 HK$128

黄ニラと新鮮なエビを米粉のクレープで包んだもの

黑椒手織和牛酥

HK$128

黒胡椒の和牛とパイ生地を手編みしたもの

西洋のアレンジを加えた広東料理を味わえる名店

イン・ジー・クラブ

營致會館 Ying Jee Club

中環 MAP 付録P.13 D-2

6年連続ミシュラン2ツ星獲得のレストラン。広東料理をメインに西洋風のアレンジも取り入れる。豊富な種類のワインリストも人気が高い。

☎2801-6882 交Ⓜ香港駅C出口から徒歩3分 所幹諾道中41号盈置大廈G05号鋪107-108号 営11:30〜15:00、18:00〜23:00 休無休 E E

↓シックなインテリアで統一された店内

おすすめ

香蔥澳洲M9和牛千絲酥 HK$96

和牛のあんをパイ生地に包んで揚げたもの

雙耳水晶鮮蝦餃

HK$96

もちもちした食感のエビ餃子をにんにくダレ、チリソースにつけて食べる

瑤柱百花滑燒賣

HK$96

エビ、シイタケ、豚肉のシュウマイ

雪場蟹海皇灌湯餃

HK$138

日本産の松葉ガニを使用した海鮮スープ

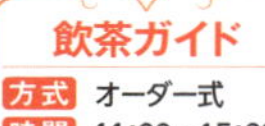

飲茶ガイド

方式 オーダー式

時間 11:30〜15:00

点心 約20種類

予算 HK$250〜

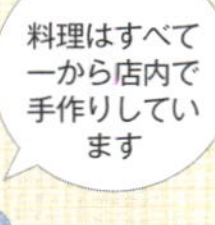

15年連続ミシュラン獲得
ゴージャスな広東料理店

夏宮

夏宮 ハーゴン
金鐘 MAP 付録P.14 A-3

40年近いキャリアを持つ梁シェフが選び抜いた食材で作る広東料理や創作中華が評判。点心も一品一品のクオリティが高い。サービスも一流で安心して利用できる。

☎2820-8552 交Ⓜ金鐘駅F出口から徒歩5分 所Ⓗアイランド シャングリ・ラ(→P.150)5F 営11:30(日曜、祝日11:00)〜15:00、18:00〜22:00 休無休

↑皇帝の夏の王宮をイメージしたという豪華な店内でゆったり飲茶を楽しもう

飲茶ガイド
- 方式 オーダー式
- 時間 11:30(日曜、祝日11:00)〜15:00
- 点心 約20種類
- 予算 HK$72〜

おすすめ

帯子蝦焼賣 HK$116
大ぶりのホタテをのせた贅沢なシュウマイ

脆皮叉焼餐包 HK$90
香港で大流行のチャーシュー入りメロンパン

水晶蝦餃皇 HK$116
エビ餃子は薄い皮とプリプリのエビが美味

叉焼包 HK$72
チャーシューまん。蒸したてを味わいたい

酥炸鮮蝦雲呑 HK$420
パリパリの揚げワンタン

飲茶のキホン 2

注文から会計まで

人気店や高級ホテル内の店など、あらかじめ予約をしておくのがベター。店に着いてから会計までの流れを簡単に知っておくことでトラブルなどにならないようにしたい。

入店して、席に着く
入口のスタッフに人数を、予約している場合は予約時の名前を伝える。下町の店とは異なり、勝手に席に座るのはNG。混雑している場合は相席になることも。

お茶を選ぶ
テーブルに着いたらまずお茶を選ぶ。発酵度によって異なる6種類(普洱茶、鉄観音茶、香片茶、龍井茶、寿眉茶、水仙茶)から選ぶ。香港の人は普洱茶をよく飲む。

点心をオーダー
点心を載せたワゴンで客席の間をまわるワゴン式と、点心名が書かれたシートに記入して注文するオーダーシート式、メニューを見て直接店員に注文するオーダー式がある。

会計する
会計は基本的に各テーブルで行う。スタッフに「ンゴイマイダン(お会計お願いします)」と声をかけて。あるいはサインを書くジェスチャーでも通じる。

シェフのアイデアが満載
しっかりおいしい創作点心

国金軒

國金軒 ゴッガムヒン
尖沙咀 MAP 付録P.6 C-2

ホテル「ザ・ミラ香港」の広東料理レストラン。点心シェフのウォン氏が広東料理の伝統に新しい発想を吹き込んだ創作点心を提案。ユニークで味もおいしいと評判だ。

☎2315-5222 交Ⓜ尖沙咀駅B1出口から徒歩3分 所彌敦道118-130号美麗華広場 営11:30〜14:30(土・日曜、祝日10:30〜15:00)、18:30〜22:30 休無休

↓スタイリッシュなホテルにあるモダンで豪華なレストラン

おすすめ

雪山鳳梨叉焼包 HK$88
パイナップル入りチャーシューまん

金箔筍尖蝦餃 HK$98
定番のエビ餃子は金箔をのせて華やか

飲茶ガイド
- 方式 オーダー式
- 時間 11:30〜14:30 日曜、祝日10:30〜15:00
- 点心 約20〜30種類
- 予算 HK$52〜

燒汁和牛烤 HK$88
バーベキュー風肉まん

黄金紫薯流沙包 HK$78(3個)
紫芋のまんじゅうに卵黄クリームがたっぷり

チョコレートの小籠包などほかにはない斬新な点心が自慢です

オリジナリティでわが道を行く!
変わり種飲茶に挑戦

定番の飲茶をひととおり楽しんだあとは、一風変わった飲茶も味わってみたい。各店の個性が光る点心は彩りもよく、味ももちろんバツグンです!

隠れ家的高級ダイニングで中洋折衷の斬新な点心を

モット32

卅二公館 サムサップイーゴングン

中環 MAP 付録P.13 E-4

銀行の地下をリノベーションしたとびっきりおしゃれな店。実力派の李シェフは、広東の伝統に西洋の食をアレンジした“中洋折衷”料理を創作し、食通を唸らせる。

☎2885-8688 交Ⓜ中環駅K出口から徒歩3分 所徳輔道中4-4A渣打銀行中心地庫 営12:00～14:30、18:00～22:30 休無休 E 英 ✆ 💳

←金融街にありモダンな味と雰囲気は界隈に勤めるビジネスパーソンに人気

①

②

③

MENU

❶原味鮮肉小籠包 HK$95
イベリコ豚を使った小籠包

❷黒椒牛柳酥 HK$90
黒胡椒で味付けした牛肉をパイ皮で包み、伝統点心をアレンジ

❸松茸銀蘿素腸粉 HK$120
千切りにしたマツタケと大根の腸粉にカツオ節をトッピング

味は地元でも太鼓判
キャラ点心の草分け的な店

唐宮小聚

唐宮小聚 Social Place
ソーシャルプレイス
上環 MAP付録P.13 D-2

動物などを模したユニークな点心が大人気。化学調味料不使用など健康に配慮した料理が、香港の若者に支持されている。

☎3568-9666 交Ⓜ上環駅E2出口から徒歩5分 所皇后大道中139号 The L. Place 2F 営11:30～15:30、17:30～22:00 休無休 E E ✆ 💳

飲茶ガイド

方式	オーダー式
時間	終日
点心	約25種類
予算	HK$29～

MENU
❶得意小猪 HK$39
かわいい子ブタは、ストロベリーヨーグルトのプリン
❷黒金流沙 HK$59
墨で色づけしたカスタードまんは一番人気

↑現在、香港で4店舗展開している。上環店はベージュと水色を基調にしたかわいい内装

モダンな点心を夜も
楽しめる新スタイル飲茶

ディムサム・ライブラリー

Dim Sum Library
金鐘 MAP付録P.14 B-3

伝統的点心に世界中の食材をアレンジしたモダンな点心を提供。お酒のメニューも豊富で昼はもちろん、夜はアラカルトと点心をつまみにお酒を楽しむのもおすすめ。

☎3643-0088 交Ⓜ金鐘駅F出口から徒歩5分 所金鐘道88号太古広場1F124号舗 営11:30(土・日曜、祝日10:30)～22:00 休無休 E E ✆ 💳

飲茶ガイド

方式	オーダー式
時間	終日
点心	約25種類
予算	HK$68～

MENU
❶海胆蟹肉春巻 HK$108
カニ肉の春巻に日本産ウニをのせた豪華点心
❷黒松露蝦餃 HK$78
おなじみのエビ餃子は黒トリュフ入り
❸担担湯包 HK$88
濃厚でピリ辛な担々麺のスープが入る小籠包

↑上品なシノワズリスタイルのインテリア。店内にバーカウンターもある

チャイニーズ×フレンチ！
唯一無二のフュージョン点心

マン・モー・ディムサム

Man Mo Dim Sum
上環 MAP付録P.12 B-2

オーナーはスイス出身。フレンチの名店と台湾の鼎泰豊(ディンタイフォン)で経験を積んだ2人のシェフが作る点心は、フランスなど海外の食材や料理を取り入れたサプライズが満載。

☎2644-5644 交Ⓜ上環駅A2出口から徒歩10分 所荷李活道233号荷李活商業中心地舗 営12:00～16:00、18:00～24:00(日曜は～23:00) 休無休 E E ✆ 💳

飲茶ガイド

方式	オーダー式
時間	終日
点心	約20種類
予算	HK$52～

MENU
❶トリュフブリー HK$78
トリュフとブリーチーズが入る濃厚な餃子
❷ラタトゥイユ HK$52
赤い皮の中には南仏の郷土料理ラタトゥイユが
❸トムヤム小籠包 HK$68
タイ名物の酸っぱ辛いスープが入る小籠包

↓骨董品店が並ぶキャット・ストリートにある、おしゃれなカフェ風の店

朝から晩まで極旨点心が食べられる!

点心専門店でこれを食す

**専門店なら、自分好みの点心に出会えるはず。
種類がありすぎて迷ったら、
専門店自慢の人気メニューを食べればハズレなし!**

香港から世界進出する
ミシュラン獲得の実力派

添好運点心専門店

添好運點心専門店
ティムホーワン ザ ディムサム スペシャリスツ
深水埗 MAP 付録P.19 C-2

2009年に創業した広東飲茶の店。安くておいしいローカル点心の店が、今ではアジア各国やニューヨークなどにも出店するほどで、深水埗店も連日大盛況。

☎2788-1226 交Ⓜ深水埗駅B2出口から徒歩6分 所福栄街9-11号地舗 営8:00～21:30 休無休 Ⓔ Ⓔ

↑順番待ちの客でごった返している

1 紅油抄手 HK$42
香辣黒酢を使った四川風のポークワンタン

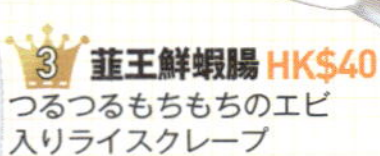

2 酥皮焗叉焼包 HK$35
甘口のチャーシューが入った名物のメロンパン

3 韮王鮮蝦腸 HK$40
つるつるもちもちのエビ入りライスクレープ

4 潮州蒸粉果 HK$30
豚肉やニラ、たけのこなどを包んだ五目蒸し餃子

5 香煎蘿蔔糕 HK$30
香ばしく焼いた大根餅にはチリソースをつけて

飲茶ガイド

方式	オーダーシート式
時間	終日
点心	約40種類
予算	HK$15～

できたての点心が手ごろ
香港人に人気の店

功夫点心

功夫點心 カンフーディムサム
北角 MAP 付録P.18 B-2

注文後に作るためできあがりまで15分ほどかかるができたてはやはり美味。伝統的な点心が揃い、エビ餃子などは2個から注文できるのでいろいろな点心を楽しめる。

☎3100-0075 交Ⓜ北角駅A3出口から徒歩2分 所渣華道98号地下1-2号舗 営7:30～21:30 休無休 Ⓙ Ⓔ Ⓔ 💳

1 功夫蝦餃皇 HK$9(1個)
定番のエビ餃子。オーダーは2個から

↑香港に14店舗展開。庶民派の飲茶店

2 鳳凰糯米鶏 HK$27
鶏肉がたっぷり入るちまき。店の看板メニュー

3 生煎菜肉包 HK$25
野菜と豚肉のまんじゅうを香ばしく焼いている

飲茶ガイド

方式	オーダー式
時間	終日
点心	約30種類
予算	HK$9～

リーズナブルな単価で
行列必至の人気店

一点心

一點心 ヤッディムサム
太子 MAP 付録P.9 A-1

1品HK$18～30のものがほとんどで手軽に本格飲茶が楽しめる。アルコールなど飲み物の持ち込みも可能。80席ほどある店内はいつも満席状態。

☎2677-7888 交Ⓜ太子駅A出口から徒歩2分 所通菜街209A-209B 営10:00(土・日曜、祝日9:00)～24:00 休無休 Ⓙ Ⓔ

↑デザート類も種類が豊富でおいしいと評判

飲茶ガイド

方式	オーダーシート式
時間	終日
点心	約40～50種類
予算	HK$18～

人気点心 BEST 3

1 蟹皇蒸焼賣 HK$35
カニの卵をのせた豚肉入りのシュウマイ

2 鮮蝦菜苗餃 HK$28
プリプリのエビと青菜が詰まっている

3 韮王鮮蝦腸 HK$36
ニラとエビがたっぷりのライスクレープ

昔ながらのスタイルで!

ワゴン式飲茶を体験しましょ

年々少なくなりつつあるワゴン式飲茶で、本場の味を堪能して。

炸芋角 HK$44
外はパリパリのタロイモの包み揚げ

南乳豬手 HK$47
蒸した豚足を南乳ソースでいただく

鵪鶉蛋燒賣 HK$44
うずらの卵入りのシュウマイ

ワゴン+オーダーで、食べたいものを食べられる

名都酒楼

名都酒樓 ミンドウザウラウ

金鐘 MAP 付録P.14 B-3

1000人以上収容が可能なワゴン式飲茶文化を守り続けているお店。点心は添加物不使用でヘルシー。

☎2865-1988 交Ⓜ金鐘駅D出口から徒歩1分 所金鐘道95号 統一中心4F 営8:00～22:45 休無休 Ⓔ Ⓔ 💳

飲茶ガイド

方式	ワゴン式&オーダーシート式
時間	8:00～15:30（ワゴンは9:30～）
点心	約60種類
予算	HK$38～

↑驚くほど広々とした店内

水晶鮮蝦餃 HK$50
定番メニューのプリプリのエビ蒸し餃子

芒果腸粉奶 HK$47
マンゴー入りココナッツミルククレープ

飲茶のキホン 3

ワゴンの種類

蒸し物、揚げ物、デザートなど点心の種類ごとに別々のワゴンで運ばれてくる。エビ蒸し餃子やシュウマイなどの定番点心は蒸し物なので、ワゴンの上のセイロが目印になる。

選び方

点心の名前がワゴンに表示されていたり店員が連呼しているが、ほとんどが広東語。気になるものは中身を見せてもらおう。欲しい場合は「イウ」、いらないは「ンイウ」。

値段は?

点心は値段により「頂・大・中・小」などに分かれている。注文すると該当する価格のところに印を押してくれるので注文時は伝票を持参しよう。帰りにこの伝票で会計をする。

お目当てに出会えないとき

ワゴン式飲茶は早い者勝ちだが、欲しい点心がなかなかゲットできない場合は店員に直接注文してしまおう。ただし人気点心は売り切れる場合もあるので注意しよう。

500席の巨大なホールに無数のワゴンが行き交う

大会堂美心皇宮

大會堂美心皇宮
ダイウイトンメイサムウォンゴン

中環 MAP 付録P.13 F-3

天井にはゴージャスなシャンデリアが連なるシティホールの広々とした店内で、種類豊富な飲茶を満喫できる。中環でワゴン式飲茶の醍醐味を体感できる貴重な一軒。

☎2521-1303 交Ⓜ中環駅K出口から徒歩3分 所大會堂低座2樓 営11:00(日曜、祝日9:00)～15:00、17:30～22:30 休無休 Ⓙ(一部) Ⓔ Ⓔ 💳

羅漢素粉菓 HK$52
透明な皮の中には野菜がたっぷり

鶏絲炸春巻 HK$44
細切りにした鶏肉入りのパリパリの揚げ春巻

飲茶ガイド

方式	ワゴン式
時間	終日
点心	約100種類
予算	HK$39～

水晶鮮蝦餃 HK$61
一口サイズで食べやすいエビ蒸し餃子

↓日本人好みの点心を教えてくれる

蟹子滑焼賣 HK$58
カニの卵をのせた豚肉入りのシュウマイ

見て、食べて、学んで。香港の今と昔を感じる　旬がギュッと凝縮！

03 3大リノベスポットへ行こう

歴史建造物を再利用したスポットに注目が集まっている。レトロな風情はそのままに、生まれ変わった施設を探検しに行こう。

Renovation Spot

インスタ映えするレトロ建築や昔の監獄を見学し、グルメやショッピング、アートも満喫

歴史と文化、アートを発信する中環の新名所

大館

大館 Tai Kwun タイクン

中環 MAP 付録P.13 D-3

約170年の歴史を持ち、2006年に閉鎖された旧警察本部や刑務所などの歴史建築を修復。2018年5月に、香港の歴史と芸術文化を発信する複合施設としてオープンした。グルメや買い物も楽しめる。

☎3559-2600 交Ⓜ中環駅D2出口から徒歩10分 所荷李活道10号 営8:00～23:00(店舗により異なる) 休無休(施設・店舗により異なる) HP www.taikwun.hk

大館の楽しみ方

主なエリアは警察署、監獄、裁判所など多数の建物が並ぶ歴史建築エリアと新施設の芸術文化エリア。歴史建築エリアでは建物の当時の様子を紹介する展示を見学。レストランやショップも併設している。芸術文化エリアでは現代アートを楽しもう。

歴史展示施設を巡る

歴史故事空間 Helitage Storytelling Space

01 室内装飾が美しい旧警察本部 警察総部大楼

警察總部大樓 Police Headquarters Block

赤レンガ造りの瀟洒な建物は、1919年に建造された旧警察本部。香港警察の歴史を展示パネルやイラストなどで紹介。レストランやショップも入る。

↑往時の警察の活動の様子や歴史などを紹介

03 敷地内で最も古い建物 営房大楼

營房大樓 Barrack Block

1864年に警官や軍曹の宿舎として建築。4階部分は1905年に増築された。随所に当時の面影が残された室内に、おしゃれなショップやカフェが入っている。

↑→モダンな宿舎。アーチの並ぶ廊下がおしゃれ

09 かつての法廷を保存 中央裁判司署

中央裁判司署 Central Magistracy

1840年代に建設され、1914年に現在の建物が再建された。法廷の一部が残るほかは、文化施設として利用されている。

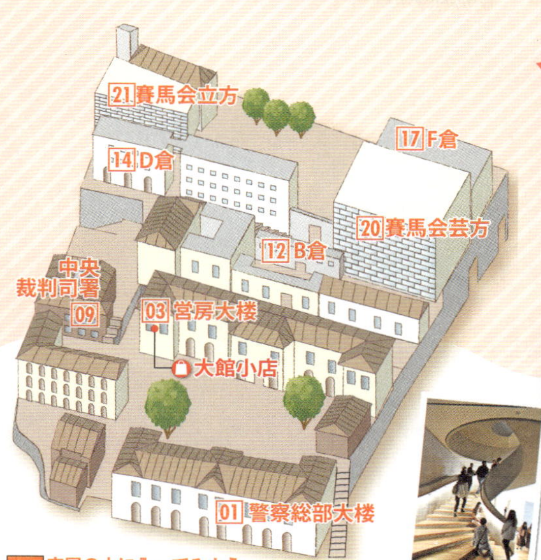

世界の現代美術を鑑賞
當代藝術 Contemporary Art

20 現代アートのギャラリー 賽馬会芸方
賽馬會藝方 JC Contemporary

現代アート作品を展示するギャラリー。新設されたモダンな建物は、スイス人建築家・ヘルツォーク＆ド・ムーロンの設計。展望テラスとレストランもある。

↑目を引くデザインの外観

↑現代アートの拠点のひとつとなることが期待されている

12 牢屋の中に入ってみよう B倉
B倉 B Hall

刑務所施設が当時のまま残り、牢屋内に入ることもできる。映像で投獄中の生活の様子を紹介している展示もある。

←刑務所の入口

↓当時の監獄生活が映し出される

↑写真映えしそうなおしゃれならせん階段

14 囚人の食事を紹介 D倉
D倉 D Hall

1858年に建造された刑務所。受刑者の食事を年代を追って模型や写真などで紹介している。

↓2006年に受刑者が食べていた食事。ベジタリアンや西洋人向けの食事も用意された

パフォーミングアートに感動
表演藝術 Performing Art

21 多目的のカルチャースポット 賽馬会立方
賽馬會立方 JC Cube

上映会やセミナーなどに使われる多目的ホール。屋根付き観客席のある屋外シアターでは演劇や音楽のイベントを開催。

→階段利用の観客席は囚人の洗濯場だった

17 記念撮影コーナーが人気 F倉
F倉 F Hall

かつての留置所。有罪判決を受けてから投獄されるまでの手続きを解説。逮捕後に囚人が撮らされる写真の記念撮影コーナーも。

→収監前の囚人が過ごした留置所

おみやげはこちらで! Shop

大館みやげはここで 大館小店 営房大楼GF
大館小店 Taikwun Store
タイクンストア

大館のオリジナルグッズや香港グッズが手に入るショップ。ここでしか買えないグッズも多彩に揃う。

↓アーティスティックなグッズも豊富

↓ポストカードHK$10

個性豊かに香港のトレンドを発信

PMQ

元創方 ユンツォンフォン

中環 MAP 付録P.12 C-3

もともとこの地には西洋教育を施す香港最初の公立学校「中央書院」があった。しかし第二次世界大戦中に被害を受け崩壊。その後1951年に警察官宿舎に生まれ変わり、2007年頃まで使用された。放置されていた建物が改装されたのは2014年。若いクリエイターやデザイナーのショップが100店近く入店する、アーティスティックなスペースになった。敷地内には歴史を偲ぶ遺跡も残されている。

☎2870-2335 交 M 中環駅D2出口から徒歩15分 所 鴨巴甸街35号 営 店舗により異なる 休 無休 E

↑既婚警察官向けの宿舎だった歴史的な建物を再開発し、ショップやカフェ、ギャラリーが並ぶおしゃれスポットに

注目のスポット

4F

肌にやさしいスキンケアグッズ

バス・トゥ・ベーシック

Bathe To Basics

香港発のハンドメイド&オーガニックスキンケアブランド。100%自然素材を使用しているので、敏感肌の人や赤ちゃんも安心して使うことができる。

☎2858-8135 営 12:30～19:00 土曜1300～20:00 日曜13:00～19:00 休 無休 E E

↑アロマが香るリラックス空間

↑ボディソープやつけ心地のよいボディオイル、リップバームが人気

フロアガイド

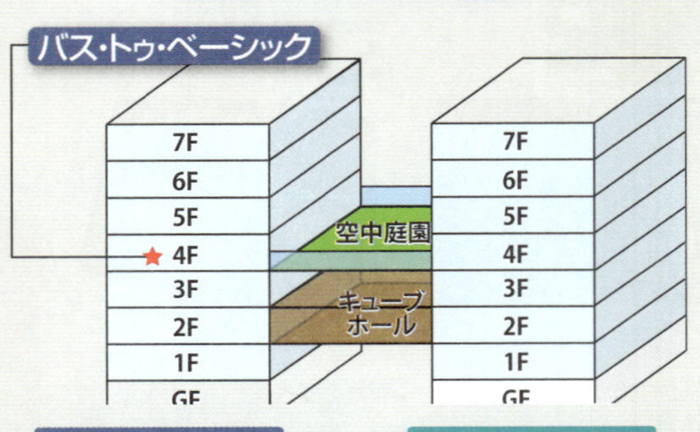

スタウントン棟

香港らしいおみやげが手に入る雑貨店や香港生まれのキャラクターグッズ店、茶器&茶葉のお店、日本人オーナーによるカフェなども入店。

ハリウッド棟

アーティストによるショップやギャラリーが多く、オリジナル商品や一点ものが豊富。セレクトショップをはじめ、パンやスイーツ店もある。

旧工場に関連したイラストなど、おしゃれなウォールアートが外壁や屋上公園で楽しめる

紡績工場が大変身!

建物は1960～70年代に建てられた紡績工場。外観や構造はそのままに、内装はモダンに大改装。商業施設のほかに、香港の紡績業の歴史を伝える展示施設やオフィス棟も建つ。

2018年に誕生した荃湾のスポット

ザ・ミルズ

南豐紗廠 The Mills ナムフォンサーチョーン

荃湾 MAP 付録P.3 D-2

古い紡績工場をリノベーションした複合商業施設。ファッションや生活雑貨の実験的な最先端ショップやカフェ、レストランなど、約40店舗が集結。モダンな内装や工場時代のレトロなオブジェがおしゃれ。

☎3979-2300 交Ⓜ荃灣西駅A2出口から徒歩15分 所白田壩街45号 営休店舗により異なる HP www.themills.com.hk

↑開放感抜群の屋上公園もおすすめ

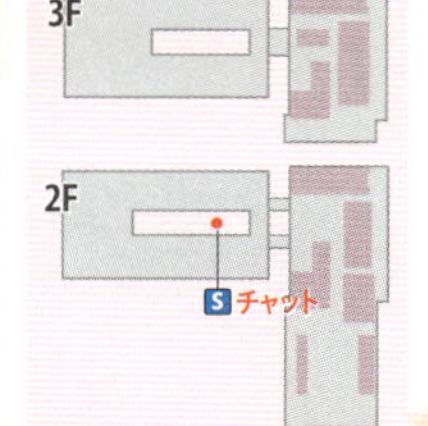

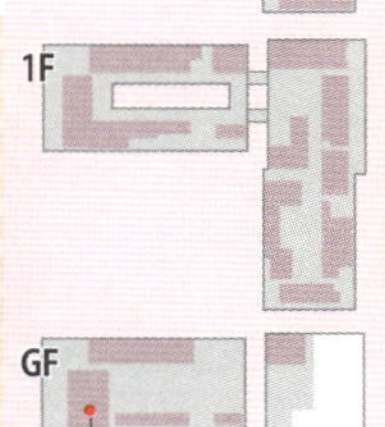

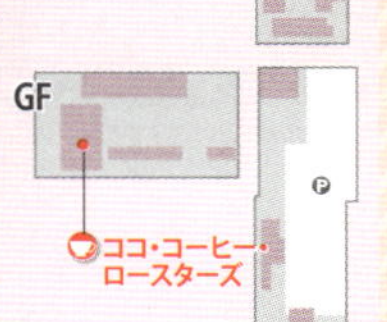

注目のスポット

GF-G09

こだわりの自家焙煎コーヒー

ココ・コーヒー・ロースターズ

Koko Coffee Roasters

ていねいに淹れたコーヒーをどうぞ

店内の半分を焙煎所が占める自家焙煎コーヒーショップ。ハンドドリップコーヒーのほか、パンなどの軽食も味わえる。

☎2499-7255 営8:30~20:30 休無休 E E

2F

香港のテキスタイルを継承

チャット

Chat

現代アートやデザインの特別展示を行うテキスタイル・ミュージアム。定期的にイベントが開かれる。

☎3979-2301 営11:00~19:00 休火曜 E

↑2024年7月まで行われた「Illmin-Loom」の展示

➡CHATショップにはアーティストとコラボした商品も販売される

話題沸騰中のスポットがずらり!

04 アートな街 香港を訪ねよう

香港の美術館は今、アジア、そして世界中の作品が集まるスポット。
美術館から街なかまで、いたるところでアートにふれられるのは香港ならでは。

香港の新旧代表

3大ミュージアム

香港の「歴史」と「新しい」を知る
とっておきのミュージアムを紹介。

西九龍のランドマーク
ホットで旬な美術館

エムプラス

M+

西九龍 MAP 付録P.19 B-4

20世紀と21世紀のアジアの視覚文化芸術に焦点を当てた美術館。展示面積はアジア最大級で、絵画や彫刻のみならず、建築、マルチメディアなど、作品は多岐にわたる。ショッピングや食事、スカイラインを眺めるなど、多様な楽しみ方ができる。

☎2200-0217 交Ⓜ九龍駅C1出口から徒歩15分 所九龍博物館道38号 開10:00~18:00(金曜は~22:00) 休月曜 料HK$120、特別展別途、一部展示は無料 E

information

● チケットは公式HPから予約
L2のギャラリー(特別展を除く)に入場するには、一般入場券を購入。Cityline経由で購入すると、M+と香港故宮博物院のチケットがセットで割引されることも

●写真撮影はマナーを守って
フラッシュはオフで、ビデオ撮影は指定された場合のみ許可されている

●飲食やたばこの利用
電子たばこを含む喫煙はL3のルーフバルコニーの指定されたエリアのみ許可されている。また、飲食はカフェ、レストランでのみ可能

世界各地から集められたコレクションは見応えあり

エムプラスの楽しみ方
館内に集められた約1500点のビジュアル・アートをゆっくりと時間をかけて鑑賞したい。

A 我的東西第5號:2002年的5000件垃圾 ●洪浩
2001-2002
中国の、特に都市部の生活に影響を与える情報社会・消費経済を、あふれる物やイメージを使ってユーモラスに批判した作品

鑑賞のポイント
洪浩は版画と写真、特にコンピューターを駆使した合成写真を得意とする作家

B 98.8.25 ●方力鈞
1998
広大な水の中を泳ぐはげ頭の人物。水の中を浮いたり沈んだりするように、現実世界は曖昧で流れに身を任せるしかないことを表現している

はげ頭で水泳を習っていたという方力鈞自身を描いている。彼の作品にははげ頭を題材にしたものが多い

C 老人院 ●孫和／彭禹
2007
電動椅子に力なく座り時折ぶつかり合う13人の老人たちは政治家や独裁者を表している。少数の権力者によって混乱する世界秩序や人間の終わらない争いを風刺した作品。

絵画ではなく、展示室のスペースを贅沢に使った作品。スーツや中東の民族衣装を身につけているリアルな人形は一定の時間おきに動かされる

エムプラス内のレストラン&ショップ

休憩で立ち寄りたいレストランやショップにも注目。

シービュー
Cview 華

エムプラスの高層階にある中国料理店。季節の食材を使った江蘇、浙江、上海の要素が合わさった料理はまるで現代アートのような美しさ。

☎2880-5535 営11:00～15:00、18:00～23:30 休無休 E 英 ☎ カード

↓ヴィクトリア・ハーバーを望む窓側の席

エムプラス ショップ
The M+ Shop

エムプラスのオリジナルグッズが購入できるショップ。店内には大胆な色使いの商品が並ぶ。地下1階にはキッズショップも。

営11:00～19:00(金曜は～22:00) 休月曜 カード

←ツートンカラーのオリジナル弁当箱HK$258

→1950～60年代の中国をイメージした紙製コースター6枚セットHK$138

←デザインスタジオがセレクトしたオリジナル靴下各HK$58

クラシックなアートもアツい！
中国の文化が眠る博物館

香港故宮文化博物館

Hong Kong Palace Museum
香港故宮文化博物館
西九龍 MAP 付録P.19 A-4

1万3000平方m^2の敷地に建ち、9つのギャラリーからなる。北京故宮博物院から集められた約900点の貴重な宝物を展示している。皇帝のかつての暮らしなど、ストーリーを重視した展示が好評。

☎2200-0217 交Ⓜ九龍駅C1出口から徒歩3分 所九龍博物館道8号 開10:00〜18:00(金・土曜は〜20:00) 休火曜(祝日の場合は開館) 料HK$60、特別展別途 E

information

●チケットは公式HPから予約
ギャラリー1〜7への入場には一般入場券が必要。Cityline経由で購入すると、M+と香港故宮博物院のチケットがセットで割引されることも
●手荷物は少なくまとめて
55cm×35cm×20cmを超えるバッグやリュック、長傘などの大きな荷物の持ち込みは控えるように。それ以外の手荷物も展示によっては制限がある場合も
●携帯電話の使用はマナーを守って
携帯電話はマナーモードに設定すること。やむを得ず使用する場合は声を小さくするように

↑デジタルで書道体験のできるコーナーはファミリーや若者にも大人気

↑美しい絵付けが施された18世紀の中国王朝の焼物

↑紫禁城をイメージした建物

↑眺望テラスの階段に座って休憩も

←↓館内のショップでは展示に関連するグッズや中国風雑貨も購入できる

工夫を凝らした展示法
香港一歴史ある美術館

香港芸術館HKMoA

Hong Kong Museum of Art
香港藝術館
尖沙咀 MAP 付録P.6 C-4

1万8000点以上の美術品を所有している香港で最も古い美術館。絵画、骨董、書などを展示し、香港の文化をより深く学びたい人におすすめ。ヴィクトリア・ハーバー近くという好立地で気軽に立ち寄ることができる。

☎2721-0116 交Ⓜ尖東駅J出口から徒歩3分 所梳士巴利道10号 開10:00〜18:00(土・日曜、祝日は〜19:00) 休木曜(祝日の場合は開館) 料無料、特別展別途 E

information

●チケットは公式HPから予約
入場は無料。特別展のチケットは公式HPからアクセス
●手荷物は少なくまとめて
大きな荷物の持ち込みは禁止。荷物は館内のロッカーに預けるように
●写真撮影はマナーを守って
フラッシュ、照明器具や三脚の使用は禁止。館内の撮影規則に従うこと

↑デジタルを用いた展示もあり、知識がない人が見てもわかりやすい

↑テーマに沿った展示はどれも古くから集められたものばかり

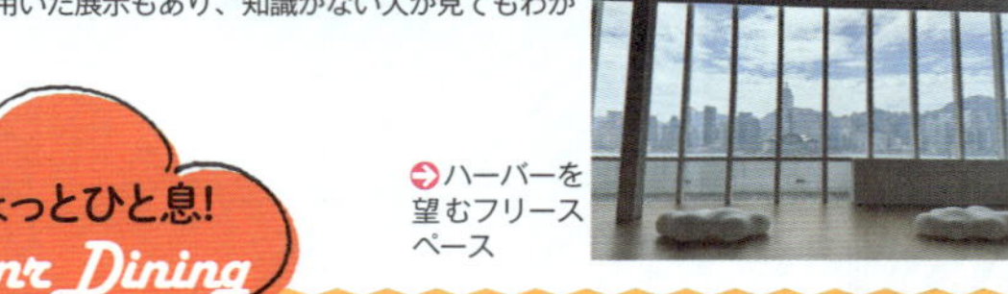
→ハーバーを望むフリースペース

展示に関連したメニューも

ヒュー・ダイニング

Hue Dining

香港芸術館の2階にあるオーストラリアモダンダイニング。

→土・日曜、祝日限定のアフタヌーンティーは大人気

香港の芸術を体感できる場所

アートを感じる施設へ

クリエイティブなショップやカフェ、ギャラリーが集結した「映え度」高めの複合施設が続々誕生!

⬆ウィリアム・リム設計のスタイリッシュなビル

世界の現代アートをハシゴする新たなアート拠点

エイチ・クイーンズ

H Queen's

中環 MAP 付録P.13 D-3

世界中のギャラリーが集まるアートの街、中環に2018年春にオープン。26階建てのビルに世界の有名ギャラリーが集結し、多彩な現代アートに出会える。カフェやレストランも充

☎2343-1738 交Ⓜ中環駅D2出口から徒歩5分 所皇后大道中80号 営11:00〜19:00 休不定休 HP www.hqueens.com.hk

注目のスポット

8F

世界的な日本アートを鑑賞

ホワイトストーン・ギャラリー

Whitestone Gallery

日本の現代美術ギャラリー。草間彌生、奈良美智など、日本人の作品が豊富。インテリア担当は隈研吾氏。

☎2523-8001 営11:00〜19:00 休月曜、祝日

➡入口の白いトンネルは人気のインスタ映えスポット

ホテルの枠を超えたカルチャー複合施設

イートンHK

Hotel Eaton HK

佐敦 MAP 付録P.8 C-3

九龍エリアのホテルを改装して2018年に誕生した新感覚の複合施設。465室の客室を備えたホテル、商業施設、ワークショップ、ラジオ局、イベントスペースなど施設は多岐にわたり、文化イベントも随時開催。

☎2782-1818 交Ⓜ佐敦駅B1出口から徒歩5分 所彌敦道380号 休無休 HP www.eatonworkshop.com/en-us/hong-kong/

ダイニング DINING

ミシュラン1ツ星の広東料理店やアジア料理店の2つのレストランと各国料理が楽しめるフードコート、2つのバーがある。

⬆広々としたおしゃれ空間でお腹を満たそう ©Lit Ma

アスター

The Astor ブッフェ

アジア各国の料理が並ぶブッフェ料理レストラン。朝食も提供しており、ライブキッチンでできたての料理も楽しめる。

☎2710-1901 営6:30〜21:30 E E

⬆香港名物のワンタン麺や飲茶、天ぷら、韓国チャプチェ、季節限定のスイーツなど種類豊富

テリブル・ベイビー

Terrible Baby バー

70年代をイメージしたシックな雰囲気のカクテル・バー。ライブ演奏も楽しめ、屋外にはソファの置かれた広いテラス席もある。☎2710-1866 営14:00〜24:00(金・土曜は〜翌2:00) E E

➡おしゃれな雰囲気にぴったりの個性的なカクテルを多彩に用意している

逸東軒

逸東軒 Yat Tung Heen

イートンヒン 広東料理

ミシュラン1ツ星の獲得経験のある広東料理レストラン。盛り付けの美しい、伝統的な広東料理が優雅な雰囲気で味わえる。

☎2710-1093 営11:00(土・日曜、祝日10:00)〜16:00、18:00〜22:30 E E

⬆昔の上海の酒家をイメージ

客室 ROOM

リノベーションされたモダンで居心地のいい客室。1人からグループまで対応。

⬆スイートもあり、さまざまな広さの客室が揃っている

プール POOL

⬆屋上にはヨーロッパ風の温水プールが

ワークショップ WORKSHOP

➡朝ヨガなどのヨガ教室を定期的に開催している

アートにまぎれ込んで記念写真

街なか「映え」スポット

街にとけ込むアーティスティックなウォールアート。無料の街角ギャラリーを満喫。

古きハリウッドのアイコン
フランス人芸術家のElsa Jeandedieutが、シャーリー・テンプルとマリリン・モンローを描写した作品

SOHOのアートと音楽がテーマ
西環地区の最新アートストリート

アートレーン

藝里坊Artlane

西環 MAP 付録P.11 E-2

西營盤駅のB3出口から地上に出たあたり、小路の奇霊里と忠正街の一帯に2018年に出現したウォールアートの新名所。国内外のアーティストの絵がビルの外壁や階段を彩る。

交Ⓜ西營盤駅B3出口から徒歩1分 所忠正街8号 開休料見学自由

音楽の街
香港のアーティスト・Zue Chanが音楽の都・ウィーンをイメージした作品。階段にも描かれている

音楽と芸術の喜び
香港のNoble Wongの作品。人々が幸せそうに演奏やダンスをする姿がカラフルな色彩で描かれている

香港のウォールアート

香港では街なかの壁をアートで飾ろうというプロジェクトが進行中。元SMAPの香取慎吾の作品も登場して、日本でも話題になった。なかでも、アートの街として知られる中環エリアはウォールアートの宝庫。西の西環エリアにも最新スポットが登場し、新たな観光スポットとして人気を集めている。

Transformation
フィンランド出身のウォールアート作家、Riita Kuismaの作品。3つの壁を使って都市の変遷を表現している

映画のロケ地にも
フォトジェニックな建物

モンスターマンション

益昌大廈 Yick Cheong Building
鰂魚 MAP 付録P.5 E-4

トラムの路線でもある鰂魚湧から太古にかけての道路沿いにそびえる巨大集合住宅。昼と夜ではまた違った雰囲気が楽しめる迫力あるスポット。

交Ⓜ太古駅B出口から徒歩4分 所鰂魚涌英皇道益昌大廈 開休料見学自由

↑1972年に完成した5棟の商住混合ビルからなる

住宅街をヴィヴィッドに
色とりどりの階段

虹の階段

Rainbow Stairs
湾仔 MAP 付録P.14 C-4

湾仔にある閑静な住宅街の路地・秀華坊にある虹色の階段。周辺にはハイセンスなショップやおしゃれなカフェも集まっている。

交Ⓜ灣仔駅A3出口から徒歩10分 所秀華坊 開休料見学自由

↑インスタ映えする素敵なショップやカフェにもぜひ立ち寄ろう

香港らしさが絵になる
一番人気の写真スポット

グラハム・ストリート

嘉咸街 Graham Street
中環 MAP 付録P.12 C-3

グラハム・ストリート(嘉咸街)とハリウッド・ロード(荷李活道)の交差点近くにあるショップ「G・O・D」に描かれた旧家屋の壁画。背景の青に旧家屋が映える、香港で最も有名なウォールアート。

交Ⓜ中環駅D2出口から徒歩10分
所荷李活道48号1層地下
開休料見学自由

➔観光客が絶えない。周辺では他のストリート・アートも見つかる

内装もメニューもグッとくる!

映えるカフェ&ショップ

定番から最新まで、
写真映えするスポット探し。

リゾート気分を味わえる
オーシャンビューのレストラン

ビージー・ベイ

Beesy Bay

大潭湾 MAP 付録P.3 F-4

ビーチやマリーナのある緑豊かな赤柱にあるカフェ。ステーキやサラダなどのカジュアルウエスタンメニューを提供。オーガニック野菜や地元の食材を積極的に使用している。赤柱の景色を眺めながら食事を楽しんで。

☎6053-0809 交スタンレーマーケットのバスターミナルから徒歩4分 所赤柱大街86-88号地舗 営11:00~21:00(LO20:00) 休無休

↑1940年代に建てられた西洋式の設計。黄色の外壁が目印

↑内装は建てられた当時のまま。海風を感じながら食事が楽しめる

←スーパーフードサラダHK$198。アボカド、ビーツ、ザクロなどのオーガニック野菜を使用

↓人気のベイビーバックリブHK$248。フルサイズはおよそ4人前

←↑さっぱりとしたクイーンベイHK$118(左)。桃入りのスイートタオHK$88(右)

ブランドショップなどが入店

レトロモダンなモール
1881ヘリテージ
1881 Heritage
尖沙咀 MAP 付録P.6 B-4
19世紀の水上警察を改装したショッピングモール。ヴィクトリア朝コロニアル様式の建物の前が人気の記念撮影スポット。
☎2926-8000 交Ⓜ尖沙咀駅L6出口から徒歩5分 所広東道2A号 営店舗により異なる 休無休

1881ヘリテージ内のホテル「ハウス1881」

懐かしい香港を撮る
裕宝斎
裕寶齋 Yue Po Chai Antiques
上環 MAP 付録P.12 B-2
上環のハリウッド・ロードにある骨董品店。路地側にある赤い壁の円形の入口が、香港っぽくてレトロでおしゃれと人気。
☎2540-4374 交Ⓜ上環駅A2出口から徒歩8分 所荷李活道132-134号地舗 営11:00〜18:00(ウォールアートは終日) 休日曜

文武廟横のラダー・ストリート沿い

マカオのカラフルな建物
ポルトガル統治時代の街並みが残るマカオでは、香港とは違った雰囲気を醸し出すエキゾチックなフォトスポットに出会える。

ポルトガル時代の名残のカラフルな建物が多く、フォトジェニックなスポットの宝庫

外壁の装飾や街灯などもおしゃれ。中国文化と溶け合った独特の建物も見られる

カラフルな路地
恋愛巷
▶P.157
戀愛巷 Travessa da Paixao
マカオ MAP 付録P.22 B-3
聖ポール天主堂の近くの50mほど続く路地。両側にピンクや黄色のカラフルな建物が並ぶ。

昔の面影残る街並み
福隆新街
▶P.157
福隆新街 Rua de Felicidade
マカオ MAP 付録P.22 A-3
かつての歓楽街で、赤い扉や窓の建物が長屋風に連なる。現在はショップや飲食店が入っている。

ポルトガルの伝統的な柄の青タイル「アズレージョ」もきれい

Best Bars in HK

幻想的な空間で美酒に酔う

05 一日の終わりに素敵なバーへ行こう

非日常感を満喫！

きらめきに心ときめく摩天楼の夜景。ホッとくつろげるシックな静寂の空間。一日の締めくくりは大人のバーで。

百万ドルの夜景が抜群のロマンティック・バー。香港の夜にカンパイ！

夕日が沈み始めるマジックアワーの時間帯がベスト

抜群のハーバービュー！ゆったりとした屋上テラス

スカイ

Skye

銅鑼湾 MAP 付録P.16 C-2

ヴィクトリア・ハーバー近くのホテルの27階にあるバー。店名にちなみ、空の旅をイメージした世界各国の味のカクテルが揃う。屋上には広い屋外テラスが。高層ビルや船の明かりの灯るハーバーの夜景に魅了される。

☎2839-3327 交Ⓜ銅鑼湾駅E出口から徒歩4分 所告士打道310号柏寧酒店27F 営12:00～翌1:00 休無休 E 英

↑羊肉とにんにくの串焼HK$80。6本セットはHK$450

↑→ウォッカをトマトジュースで割ったゴブリンHK$130（上）。カカオ風味のイゴールHK$130（右）

香港らしいカクテルも雰囲気抜群なバー

クルーズ

Cruise

北角 MAP 付録P.18 C-2

ヴィクトリア・ハーバーを眼下に眺めるルーフトップのレストラン＆バー。香港島と九龍半島を一度に眺めながら、シェアスタイルのアジア料理がいただける。

☎3896-9898 交Ⓜ北角駅A1出口から徒歩2分 所邨里1号香港維港凱悦尚萃酒店西座23楼 営12:00～24:00(金・土曜は～翌1:00) 休無休 E 英

↑香港式ワッフルをクラシックカクテルとともにHK$118

→オリエンタルな味を楽しめるリトルフジアンHK$118

香港島の夜景を一望
九龍サイドで人気のバー
アイ・バー
Eye Bar
尖沙咀 MAP 付録P.6 C-3

尖沙咀のショッピングモールの30階にあるガラス張りのバー。香港島の夜景を開放的な空間で楽しめる。海風を感じるテラス席も用意。中国料理店と隣接している。

☎2487-3988 交Ⓜ尖沙咀駅R出口／尖沙咀東駅R出口直結 所彌敦道63号アイ・スクエア30F 営15:00～翌0:30(金・土曜は～翌1:30) 休無休 E 英

⬇カクテルのストロベリー・ローズ(右)。キュカンバー・モジョ(中央)。アップル・サングリア(左)。各HK$120

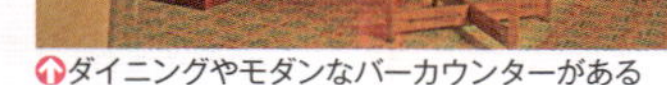

⬆ダイニングやモダンなバーカウンターがある

ロシア人バーテンダーの
カクテルとテラス席が人気
レッド・シュガー
Red Sugar
黄埔 MAP 付録P.5 D-3

倉庫をコンセプトにしながら、優雅な雰囲気で、ヴィクトリア・ハーバー越しにノース・ポイントの夜景を一望できる屋外テラスもある。ロシア人バーテンダーによる独創的なカクテルも魅力的。

☎2252-5281 交Ⓜ黄埔駅C1出口から徒歩7分 所Ⓗケリーホテル(→P.150)7F 営16:00～24:00(金・土曜は～翌1:00) 休無休 E 英

⬆対岸のノース・ポイントを望む数少ない夜景スポット

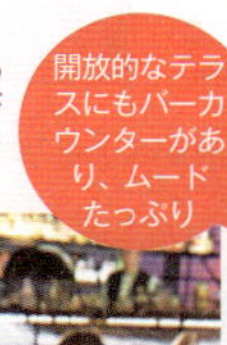

➡見た目にも斬新な創作カクテルHK$128
⬇バーカウンターで腕をふるうニキータ氏

静かな夜の一日を
隠れ家バー

一日の旅の思い出にじっくり浸りたいときは、静かで落ち着ける隠れ家的バーへ。

アシュリー・サットンさんの作品の世界観を表現。アール・デコ調の薄暗い照明が官能的な雰囲気

隠し扉を一歩入れば
タイムスリップしたかのよう
マギー・チューズ・ホンコン
Maggie Choo's Hong Kong
中環 MAP付録P.13 D-3

ジャズバンドの生演奏を聴きながらカクテルが楽しめる、2023年7月オープンの注目のバー。孤児の少女がアンティークショップの裏に隠されたドアを発見するという架空のストーリーがある。

☎6250-6000 交Ⓜ中環駅C出口から徒歩7分 所荷里活道1-13号華懋荷里活中心下1号舗 営18:00～深夜 休無休

↑チャイナドレスに身を包んだ女性パフォーマーたち

↑パフォーマンスは戦前・戦時中の混沌とした上海の一風景を切り取ったような演出

↑チョリソーやテリーヌを盛り合わせたシャルキュトリーボードHK$228

↓コリアンダーとチリを添えたスイートコーンリブHK$78

←デルージョンHK$150。スピリタスベースの甘酸っぱいカクテル

卓球場をレトロなバーに
世界のジントニックを堪能
乒乓城
乒乓城 Ping Pong129 Gintonena
ピンポン129 ジントネナ
西環 MAP付録P.11 D-2

卓球場(乒乓城)を改装したジントニック専門のバー。入口は狭いが、地下の店内は天井の高い開放的な空間。スペイン人オーナーが厳選した世界各国のジンを使った、バラエティ豊富なジントニックを提供する。

☎9835-5061 交Ⓜ西營盤駅B2出口から徒歩6分 所第二街129号南昌楼 営17:00～24:30(金・土曜は～翌2:00) 休無休

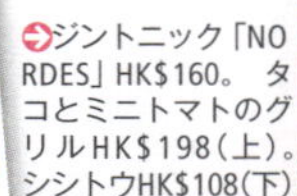

←オーナーの故郷スペイン産のジンが豊富

→ジントニック「NORDES」HK$160。タコとミニトマトのグリルHK$198(上)。シシトウHK$108(下)

バーカウンターの漢字のネオンサインがノスタルジックなムード

赤い扉の看板は「卓球場」のまま

ヘミングウェイをイメージしたインテリアが目を引くカウンター席

カクテルをこよなく愛したヘミングウェイに捧げるバー

ジ・オールド・マン

The Old Man

中環 MAP付録P.12 C-3

アメリカの文豪・ヘミングウェイがテーマのバー。ヘミングウェイの作品名をつけたカクテルを用意。木のぬくもりあふれる店内はシックでセンス抜群。国内外の数多くのベストバーのコンクールで入賞している。

☎2703-1899 交Ⓜ上環駅E2出口から徒歩10分 所蘇豪鴨巴甸街37号低座地下 営17:00〜翌1:00(木〜土曜は〜翌2:00) 休日曜

↑一流ホテルで活躍した名バーテンダー3人が手がけるバー

花に囲まれた英国の家庭のリビングのような店内でくつろげる

診療所がコンセプトでストレス軽減の場を提供

ドクター・ファンズ・ジン・パーラー

Dr. Fern's Gin Parlour

中環 MAP付録P.13 E-4

白衣を着た心理学者のバーテンダーが、15カ国から集めた約300種類のジンを使った創作カクテルを提供。ハーブや食用花、野菜を使ったカクテルで心身ともにリラックスでき、カフェとしても人気。

☎2111-9449 交Ⓜ中環駅G出口直結 所皇后大道中15号 置地広場地庫B31A号舗 営17:00〜翌1:00(金・土曜は〜翌2:00)、日曜16:00〜24:00 休無休

↑ジン・カクテルのほか、午後はアフタヌーンティーがいただける

←食用花を使った柑橘系のカクテル、ザ・ブロッサム HK$190

→さまざまなジンを使ったカクテルが楽しめる

→高級感のある入口を入ると、森の中のような花と緑に囲まれた空間が広がる

おしゃれな食器、キュートなスイーツに囲まれて

06 香港の午後、優雅に嗜む アフタヌーンティー

多彩な味をゴージャスな空間で堪能したい!

街の散策の合間に、香港のリッチでエレガントなアフタヌーンティーを体験してみませんか。

Afternoon Tea

イギリスからもたらされた おしゃれな貴族のティータイム

約150年にわたったイギリス統治時代、その長い年月の間に香港に根付いたイギリス文化の数々。そのひとつがアフタヌーンティーだ。1840年頃、アンナ・マリア(ベッドフォード公爵フランシス・ラッセルの妻)が始めたとされており、ケーキやペストリー、サンドイッチなどと一緒に紅茶をゆったり楽しむ、香港の上流階級の社交の場として発達した。現在は堅苦しさが取り払われ、優雅な午後のひとときを自由に楽しむことができる。

アフタヌーンティーQ&A

Q 何時頃に味わえる?

A ほとんどの店ではランチタイムのあとからディナータイムまでの間にアフタヌーンティーセットを提供している。セットはかなりボリュームがあるので、ランチかディナーを少なめにして調整を。

Q どんなメニューがある?

A 3段のトレーにケーキやペストリー、サンドイッチ、スコーン、それに紅茶で構成されるのが一般的。食べ方の決まりは特にないが、トレーの下段から順に食べていくのが一般的とされる。

Q ドレスコードってある?

A 厳密なドレスコードはないが、一流ホテルの場合は会場の雰囲気に合わせて、スマートカジュアル程度の服装を心がけたい。

Q 予約は必要?

A 人気のあるアフタヌーンティーでは混雑が予想されるので、可能なら予約をしてから行くのがおすすめ。予約できないお店は、開店直後の時間帯などに来店するのがよい。

生演奏に耳を傾けながら
英国式アフタヌーンティーを体験

ザ・ロビー

The Lobby

尖沙咀 MAP 付録P.6 C-4

ザ・ペニンシュラ香港のロビーにある、重厚な装飾が宮廷を思わせる空間。ティファニーの特注食器でいただく自家製スイーツやスコーンを味わいたい。

☎2696-6772 交Ⓜ尖沙咀駅L3出口からすぐ 所Ⓗザ・ペニンシュラ香港(→P.148)GF 営7:00〜22:00(金・土曜は〜22:30) 休無休

DATA

ザ・ペニンシュラ クラシック アフタヌーンティー
The Peninsula Classic Afternoon Tea
HK$528
自家製スコーンにクロテッドクリーム、サーモンのサンドイッチなど、すべて本場イギリス式
営14:00〜18:00 休無休
※ミニマムチャージHK$356あり

↑クラシカルな雰囲気漂う空間でティータイム

喧騒から少し離れて
くつろぎのひとときを

ティフィン
Tiffin

湾仔 MAP 付録P.15 D-2

大きい窓と高い天井の開放感あふれる空間。窓からは緑豊かな公園、ヴィクトリア・ハーバーを行き交う船や九龍半島の景色を見ることができる。生演奏も魅力。

☎2584-7722 交Ⓜ湾仔駅A1出口から徒歩10分 所Ⓗグランド・ハイアット(→P.149) MF 営12:00～24:00 休無休

DATA
アフタヌーンティー・ブッフェ
Afternoon Tea Buffet
HK$368(土・日曜、祝日HK$398)
3段トレーのアフタヌーンティーと、別のコーナーにあるスイーツやアイスクリームが食べ放題!
営15:30～17:30 休無休

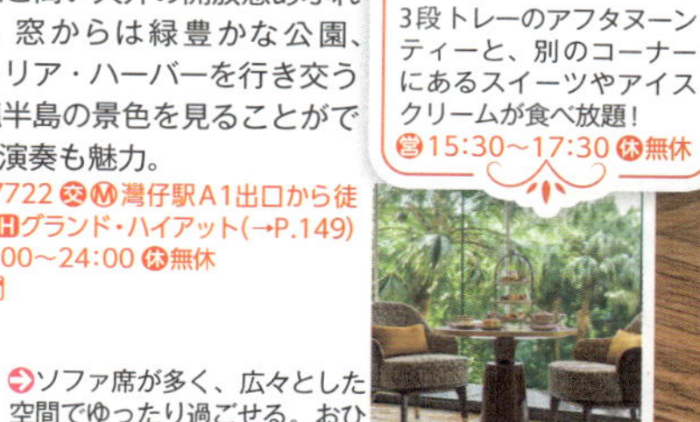

➡ソファ席が多く、広々とした空間でゆったり過ごせる。おひとりさまも多い穴場スポット

超高層階で味わう
こだわりのスイーツの数々

カフェ103
Café 103

西九龍 MAP 付録P.19 B-4

ICCビルの103階にある、香港を一望する最高のロケーションが自慢。

☎2263-2270 交Ⓜ九龍駅C1出口から徒歩5分 所Ⓗザ・リッツ・カールトン(→P.149) 103F 営12:00～22:00 休無休

DATA
アフタヌーンティー・セット
Afternoon Tea Set
HK$518(土・日曜HK$548)
季節によって内容は異なる
営15:15～17:15 休無休

DATA
アフタヌーンティー・セット
Afternoon Tea Set
HK$888(2名)
洗練されたスイーツやフィンガーサンド、焼きたてのマドレーヌやスコーンなどが並ぶ。
営15:00(土・日曜、祝日12:00)～18:00 休無休

スカイラインの眺めと
種類豊富な紅茶が魅力

ザ・ロビー・ラウンジ
The Lobby Lounge

尖沙咀 MAP 付録P.7 D-4

インターコンチネンタル香港の当時の景色をそのままに、一段とグレードアップして生まれ変わったロビーラウンジ。パティシエと料理長がていねいに仕上げたスイーツが楽しめる。

☎2313-2313 交Ⓜ尖東駅から徒歩4分 所九龍尖沙咀梳士巴利道18号 営15:00(土・日曜、祝日12:00)～18:00 休無休

⬆目の前にヴィクトリア・ハーバーが広がる贅沢な空間

エステ&マッサージでリフレッシュ!

心も体も美しくなれるとっておきご褒美時間

07 極上リラックスタイム 至福の癒やし体験

香港を訪れたなら観光やショッピングだけでなく、確かな技術のエステやマッサージがおすすめ!

伝統と格式のある
極上の癒やし空間

キレイを叶える贅沢空間 ラグジュアリースパ

美しくなりたい人へおすすめするのは、熟練のスタッフたちによる、洗練されたトリートメント体験。最上級のおもてなしでお姫さま気分。ラグジュアリーなホテルのスパで、至福のひとときを過ごしてほしい。

人気MENU
✲ペニンシュラ スパタイム…HK$2880(金〜日曜、祝日HK$2980)/120分
悩みに合わせたオリジナルスパメニューを提案

入店から施術後まで

人気のスパは予約が原則。HPやメールなどから早めに予約を。当日の流れも確認しよう。

1 カウンセリング
受付で名前を伝えてチェックイン。担当セラピストにその日の体調や体質、改善したいポイントやマッサージでの力加減などの希望を伝え、施術メニューや使用するコスメを決める。

2 着替え
ロッカールームで施術着に着替えて施術室へ。貴重品は鍵付きロッカーへしまうので鍵をなくさないように気をつけよう。

3 トリートメント
セラピストによる施術がスタート。施術中に気分が悪くなったり、力加減が気になった場合は遠慮せず伝えよう。

4 施術後
ハーブティーやフルーツなどをサービスで用意してくれるので、のんびりくつろごう。施術後は代謝が上がっているので、水分補給はしっかりと。

多彩なトリートメントを体験
ザ・ペニンシュラ・スパ
The Peninsula Spa
尖沙咀 MAP 付録P.6 C-4

ヴィクトリア・ハーバーの美しい景色を眺められる個室で、最新の設備を生かしたボディトリートメントやフェイシャルなどのメニューが受けられる。トリートメントルームは全14室。スタイリッシュなインテリアで、心身ともにリフレッシュできる。

☎2696-6682 交Ⓜ尖沙咀駅L3出口からすぐ 所Ⓗザ・ペニンシュラ香港(→P.148)7F 営10:00(金・日曜、祝日9:00)〜22:00 休無休 E 英

←ハーバーを望むリラクゼーションルーム

↑誕生日を祝ってくれるお得なメニューもあるのでチェックしたい

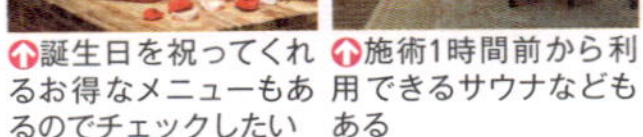
↑施術1時間前から利用できるサウナなどもある

↑都会のオアシスで癒やしの時間を

美容だけじゃない最先端のスパ

アサヤ

Asaya

尖沙咀 MAP 付録P.7 D-4

ローズウッド香港内にオープンした革新的なウェルネス施設。肌診断やアロマオイル調合などの体験アトリエ、自然療法やアートセラピー、スポーツセラピーなど多彩なメニューが魅力。都会の喧騒を忘れる究極のトリートメントを。

☎3891-8588 交 M 尖沙咀駅J2出口から徒歩3分 所 H ローズウッド香港(→P.146) 営9:00～22:00 休無休

人気MENU

✲スポーツ セラピー …HK$1880(金～日曜HK$2060)／60分

常駐している専門家による施術が受けられる

➡都会のガーデンビューを備えたテラスのある空間

ホリスティックな癒やしを体験

ザ・マンダリン・スパ

The Mandarin Spa

中環 MAP 付録P.13 E-3

1930年代の上海をイメージしたオリエンタルなムード漂うスパ。約30種のトリートメントは中医の監修によるもの。トリートメントを受ける前に、温水・冷水バス設備をゆっくり堪能するため、予約の45分前には到着しよう。

☎2825-4888 交 M 中環駅F出口から徒歩1分 所 H マンダリン・オリエンタル(→P.149) 24F 営10:00～22:00 休無休

人気MENU

✲オリエンタル Qi…HK$3900／180分(土・日曜HK$4200)

本格的なオイルマッサージで心と体のバランスが整う

⬆9室のトリートメントルームで自分に合った施術を体験

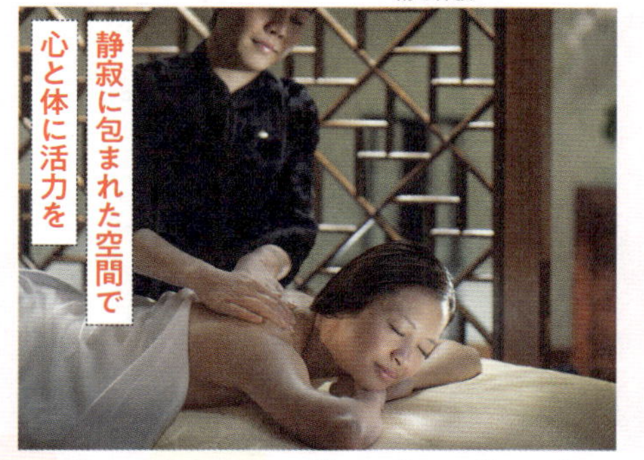

熟練セラピストの
技を堪能

専用ルームに宿泊もできる

プラトゥー・スパ

Plateau Spa

湾仔 MAP 付録P.15 D-2

グランド・ハイアット11階にあるスパ。70種以上のトリートメントはリラックス効果と結果を重視した内容。治療効果が期待できるクリスタルを使ったマッサージや美白効果のあるものなどバラエティに富む。

☎2584-7688 交 M 湾仔駅A1出口から徒歩10分 所 H グランド・ハイアット(→P.149) 11F 営10:00～22:00 休無休

人気MENU

✲プラトゥーマッサージ …HK$850／60分

ホットストーンを使用したマッサージ

⬆23の客室に充実の設備でおもてなし

最高の景色を楽しめるスパ

ザ・リッツ・カールトン・スパ

The Ritz-Carlton Spa

西九龍 MAP 付録P.19 B-4

116階の超高層階からパノラマの絶景が望める室内。メニューはイギリスのスパブランド「ESPA」が開発したもの。ここでしか体験できない貝殻トリートメントや翡翠を使ったメニューもある。

☎2263-2041 交 M 九龍駅C1出口から徒歩5分 所 H ザ・リッツ・カールトン(→P.149) 116F 営11:00～22:00、土・日曜10:00～23:00 休無休

人気MENU

✲ラヴァーシェル・ボディマッサージ…HK$2250～／90分

ジェルを入れて温めた二枚貝を使うマッサージで血行を改善

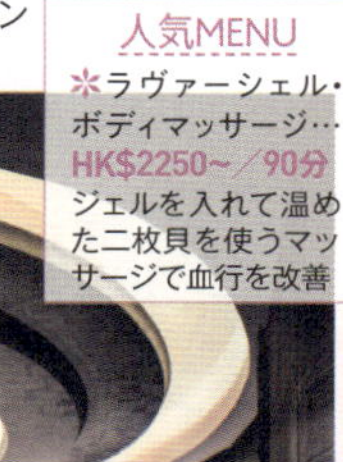

英国スパブランドの
トリートメント

手ごろに手軽にリフレッシュ!
街角サロン

確かな技術で人々の疲れやコリを癒やす、街角に点在するマッサージ店。一度受けたらトリコになる人続出との噂も。足裏マッサージがメインで、全身やフェイシャルにも対応している店もある。観光で歩き疲れたら、フラッと立ち寄ってみては。

血行促進、緊張緩和、代謝アップなどうれしい効果が

中国の伝統医学による治療ですみずみまでデトックス

人気MENU
✲拔罐…
HK$208／20分
皮膚に特殊な吸い玉を当てることで、体内の血流を促進させる療法

中国式からタイ式まで
ザ スロウ

The Slow
西環 MAP 付録P.4 A-4
西環の人気エリアKENNEDYTOWNにあるマッサージスパ。足つぼマッサージや、オイルマッサージ以外にも、拔罐(カッピング)や經絡刮痧(かいさ)などもある。人気店のため予約をしてから行くのがおすすめ。
☎9320-6123 交Ⓜ堅尼地城駅A出口から徒歩4分 所爹核士街9号 A地舗 営11:00～23:30 休無休 E 英 ✆ 💳

セラピー治療のほかに13種類の施術がある

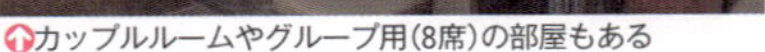
↑カップルルームやグループ用(8席)の部屋もある

↑ナチュラルテイストな空間

→サロンには漢方の匂いが立ちこめている
→チャイナ・モダンな内装の清潔感あふれるサロン

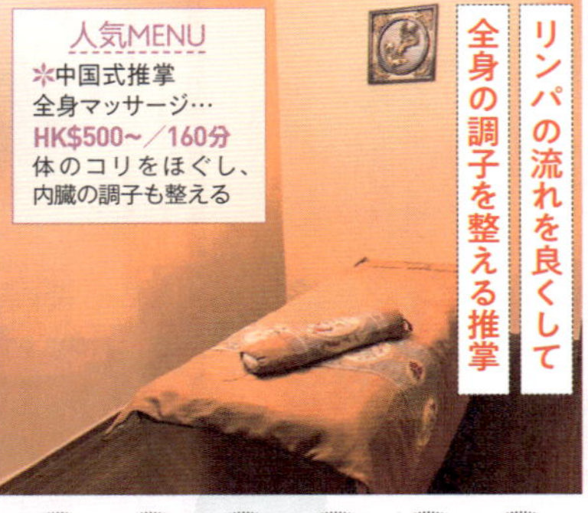

人気MENU
✲中国式推掌
全身マッサージ…
HK$500～／160分
体のコリをほぐし、内臓の調子も整える

リンパの流れを良くして全身の調子を整える推掌

推掌マッサージを体験
華夏保健

全身
マッサージ

華夏保健 Vassar Healthcare
ヴァッサーヘルスケア
湾仔 MAP 付録P.15 E-4
中国医学の医師が開業したサロン。推掌マッサージは、指や手のひらを使って血行やリンパの流れを改善する中国医学の代表的治療法。漢方薬局と診療室を併設する。
☎2970-3228 交Ⓜ灣仔駅A3出口から徒歩5分 所灣仔道133号卓凌中心7F 営10:00～21:00 休無休
E 英 ✆ 💳

有名人も通う評判のサロン
足芸舎

足裏マッサージ

足藝舍 ジョッンガイセー

尖沙咀 MAP 付録P.6 C-3

地元の常連客に加え、日本人観光客も多い人気のサロン。フロアは足裏マッサージ用の椅子がずらりと並んだ開放的な空間。足裏からふくらはぎ、膝までていねいにマッサージしてくれる。足の角質取り、ボディマッサージなどメニュー豊富。

☎5189-9684 交Ⓜ尖沙咀駅A1出口から徒歩1分 所樂道1-3号永楽大楼5B 営10:30～24:00 休無休

技術に自信あります！

高い技術と日本語対応で日本人観光客がリピート

ボディマッサージ用の部屋

人気MENU

✲アロマセラピーリンパボディマッサージ…HK$630／90分

オイルを使い、リンパに沿ってマッサージ

サービスが良く女性に人気
古法足道

足裏マッサージ

古法足道 Gao's Foot Massage グウファッジョッドゥ

中環 MAP 付録P.13 D-3

漢方医の指導を受けたスタッフが施術。マッサージの最中に肩に温熱バッグをかけてくれるなど、サービスにも定評がある。

☎2810-9219 交Ⓜ中環駅D2出口から徒歩4分 所皇后大道中79号萬興商業大廈14F 営10:00～24:00 休無休

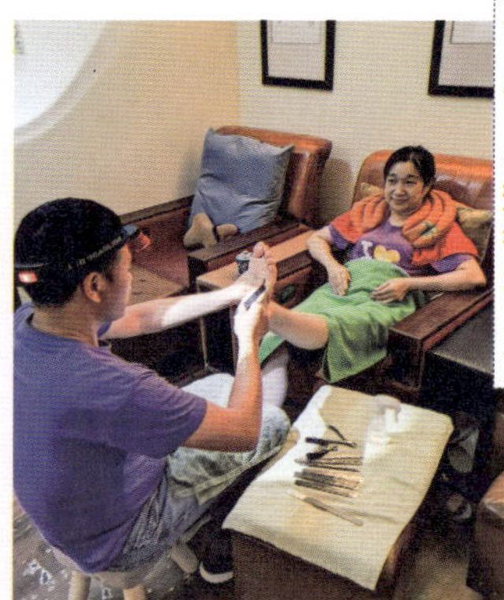

肩の温熱バッグでマッサージ効果がアップ

個室も10室以上

人気MENU

✲足つぼマッサージ…HK$278／50分

フットバスからじっくりトリートメント

豊富な施術が魅力
大班公館

全身マッサージ

大班公館 タイパンコングン

尖沙咀 MAP 付録P.6 C-3

アジアンテイストの雰囲気に包まれ、1940年代の香港を彷彿させる、テーマパーク感ある高級マッサージ店。施術前と後のティータイムで、日々の疲れが完全に癒やされる。

☎2301-1990 交Ⓜ尖沙咀駅D1出口から徒歩2分 所九龍尖沙咀彌敦道83号華源大廈地庫 営12:00～24:00 休無休

思わず眠ってしまう気持ちよさ

人気MENU

✲全身マッサージ…HK$348／50分

ほどよい力加減でリラックスできる

明かりを抑えた落ち着いた店内

知っておきたい マッサージ&足つぼのこと

トラブルなどで不快な思いをしないためにも、香港のマッサージ事情を知っておこう。

Q お店選びで注意したいことは？

A 聞いていた時間より施術が短かった、ということもままあるので、料金体系が明確な店がおすすめ。あまり安すぎる店は注意しよう。事前に評判を確認しておけば安心だ。

Q どんな服装で行くのがよい？

A 足裏マッサージの場合は、膝上までまくり上げられる服装であればOK。スリムなジーンズは避けたほうが無難だ。全身マッサージの場合は着替えを用意してくれる。

Q 予約は必要？

A 足裏マッサージのサロンでは基本的に予約は不要。ただし、時間が限られている場合や大人数の場合などは予約して行ったほうが安心。スパは原則予約が必要となる。

Q チップは渡すべき？

A 店により対応は異なるが、マッサージ店でチップを渡す習慣は一般的にはない。施術をとても気に入ったときや高級スパなどでは、料金の10％程度のチップを渡そう。

お役立ち広東語

▷**痛い…**
痛(トン)

▷**もっと強く…**
重一点(ジョンイーディエン)

▷**気持ちいい…**
舒服(シュウフォッ)

▷**ここがこっています…**
呢度好攰(ニドホウグイ)

▷**ここが痛いです…**
呢度好痛(ニドホウトン)

足つぼのこと

足裏には全身の臓器とつながる約60～70の反射区といわれるつぼがあり、足裏を押してどこかが痛いと、体のどこかに不調があるといわれている。また、押して痛いところに指圧などで刺激を与えることによって、血行が良くなったり、自然治癒力が高まったり、代謝が促進されて老廃物が排出されやすくなったりして、体の不調が和らぐことも知られている。また、足つぼマッサージはデトックスや美容、ダイエットにもつながるといわれているが、これも血行促進や代謝アップによるものといえる。

新感覚の小物につい手が出てしまう

胸キュン♥なアイテム揃い

Miscellaneous Goods

08 レトロ&ポップな香港雑貨にときめく

なんともレトロポップな雑貨たちは、イギリス統治時代と中国の入り交じる「香港」ならでは。軽くて持ち運びやすいおみやげアイテムもいっぱい。ここにしかない、香港テイストの雑貨をご紹介!

HK$1299

> B ニットトートバッグ
色使いが目を引くSparkleのバッグ

チャイナグッズ

香港名物の数々をモチーフにしたポップなアイテム揃い!

China Goods

> B ミニポーチ
シノワズリデザインのポーチ

HK$168

> B スニーカーソックス
点心デザインのソックス

HK$79

> B クルーソックス
茶餐廳メニューデザインのソックス

HK$119

> B 香港マップ
香港の名所がイラストで描かれているマップ

HK$268

> A キーチェーン
行き先のほか、流行語やスラングもある

各HK$35

TO KWA WAN
紅磡
土瓜灣

HK$100〜

> A ミニバスプレート
手作りのレトロなプレートは香港らしさ満載

HK$88

> B 荷物タグ
AMAZING STUDIOという香港ブランドのもの

HK$22

> B クリアケース
李漢港楷LEE HONG KONG KAIブランドのもの

> B マグカップ
香港の市場で見られる赤いランプ傘柄

HK$180

A 香港マニアに最適なグッズ
巧佳
巧佳 ハウガイ Hawk

佐敦 MAP 付録P.8 A-3

香港のミニバスの「行き先プレート」を製造。おみやげ用のキーホルダーがおもしろいと、地元でも人気に。

☎9017-9587 交 Ⓜ佐敦駅A出口から徒歩10分 所 炮台街39号閣楼 営 11:00〜18:00 休 水・土・日曜、祝日 E

↑30年以上プレートを作り続ける

B デザインと製造の融合
HKTDCデザインギャラリー
HKTDC Design Gallery

湾仔 MAP 付録P.15 D-2

香港貿易発展局(HKTDC)が1979年に設立したブランド。新進デザイナーの発掘も行う。

☎2584-4146 交 Ⓜ灣仔駅A2出口から徒歩8分 所 港湾道1号香港會議展覧中心地下 営 10:30〜19:30 休 無休 E

↑ジュエリーや家具まで並ぶ

C 伝統&モダンが混じり合う
ラブラミクス
Loveramics

銅鑼湾 MAP 付録P.16 C-3

世界でもよく知られたセラミックブランド。ワールドラテアート選手権専用コーヒーカップにも選定。

☎2915-8018 交 Ⓜ銅鑼灣駅F1出口から徒歩8分 所 礼頓道97号地下 営 11:00〜21:00(金・土曜は〜22:00) 休 無休 E

↑自社ブランド以外の取り扱いも

食器

伝統の中国柄とモダンな香港テイストが素敵にマッチ!

Tableware

Ⓒティーポット
球体のデザインがかわいらしいティーポット
HK$279

HK$39〜
Ⓒwillow love storyシリーズ
モダンな中国風デザインが日本人に人気を博している
※すべて別売り

Ⓒカップ
ポットとセットで揃えたいカップ
HK$79

各HK$189
Ⓒ Double Walled Mug
2層構造で飲み物の温度を保ちつつ持ちやすい

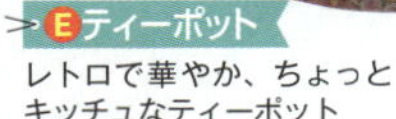

HK$260

Ⓔティーポット
レトロで華やか、ちょっとキッチュなティーポット

各HK$76

Ⓔティーカップ
小ぶりのティーカップも中国らしいかわいらしさ

D 上流階級の女性が愛用した
先達商店(→P.58)
先達商店 Sindart シンダーッションディム

佐敦 MAP 付録P.8 B-4

すべてハンドメイドの、刺繍スリッパ・シューズ専門店。金魚、孔雀、龍など中国伝統の吉祥柄が多い。

☎2849-5499 交Ⓜ佐敦駅C2出口から徒歩3分 所呉松街150-164号宝靈商場1F16-17号舗 営14:00〜20:30 休無休
JE

↑現代でもかわいい刺繍シューズ

E 中国の伝統商品がいろいろ
裕華国貨
裕華國貨 ユウワーゴオフォー

佐敦 MAP 付録P.8 B-4

刺繍製品やチャイナドレス、陶器、伝統的な印鑑、食品まで揃う、香港で最も有名な中国系百貨店。

☎3511-2222 交Ⓜ佐敦駅A出口から徒歩1分 所彌敦道301-309号 営10:00〜22:00 休無休
E

↑中国らしいおみやげが見つかる

F 香港在住の外国人に支持
ザ・ウィー・ビーン(→P.58)
The Wee Bean

上環 MAP 付録P.12 A-2

香港を中心にアジア全域で展開する、オーガニックベビー服のお店。

☎5367-7734 交Ⓜ上環駅A2出口から徒歩10分 所皇后大道西111号華富商業大廈8楼802室 営11:00〜18:00(日曜は〜15:00) 土曜は10:30〜18:30 休木曜
E

↑環境にも配慮をした製品

布製品
軽い布製品は持ち運びやすく、たくさん購入しても安心
Fabric
HK$79
E 扇子
日本の扇子とはひと味違う、優美な中国扇子
HK$179
F おくるみ
70%竹、30%オーガニックコットンのブレンド天然素材
HK$120～
E コットンハンカチ
伝統的な刺繍をあしらったコットンのハンカチは、実用的なおみやげに最適
HK$55
E ティッシュカバー
カバーひとつでティッシュもインテリアのアクセントに
HK$159
F よだれかけ（2枚セット）
スナップボタンで新生児から36カ月まで成長に合わせて調整可能
HK$299
F ベビー用寝巻き
点心柄がかわいい。オーガニック素材
シューズ
香港テイストのシューズで足元をかわいく華やかに彩って
Shoes
HK$99
D 絹布刺繍花の布の靴
龍をあしらった香港らしい華やかなデザイン
HK$480
D 刺繍スリッパ
牡丹と蝶々をあしらったデニムスリッパ
HK$780
D フラットシューズ
チャイナドレスを着たくなる上品な靴
HK$99
E スリッパ（男性用）
男性向けは、漢字の柄がシックな印象
E スリッパ（女性用）
花柄に明るめの赤が、中国らしい雰囲気
HK$99
各HK$80
D インソール
靴を脱いだら現れる、カラフルな中国柄のインソールが楽しい
かわいいシューズが揃ってます
D パンダ柄スリッパ
日本人に大人気のパンダ柄。キッズ用
HK$280
D ローヒール
目を引く華やかさ。金魚の柄がキュート
HK$880

ハイセンスな香港テイストの雑貨たち

2大雑貨店「G･O･D」&「誠品書店」へ

まとめて雑貨を探したい!という人におすすめなのが、「G･O･D」と「誠品書店」。お目当てのアイテムがきっと見つかる。

小物だけでも100種類以上。中国柄の アイテムは外国人に大人気

G･O･D

住好啲 Goods of Desire 中環 MAP付録P.12 C-3

香港でハイセンスなおみやげといえばココ。香港テイストたっぷりのアイテムが所狭しと並び、レトロなポスターやユーモアあふれるインテリアが楽しい。自分用にもおみやげ用にもきっと何か見つかるはず。

☎2805-1876 交Ⓜ中環駅D出口から徒歩12分 所荷李活道48号1層地下 営10:00～20:00 休無休 E

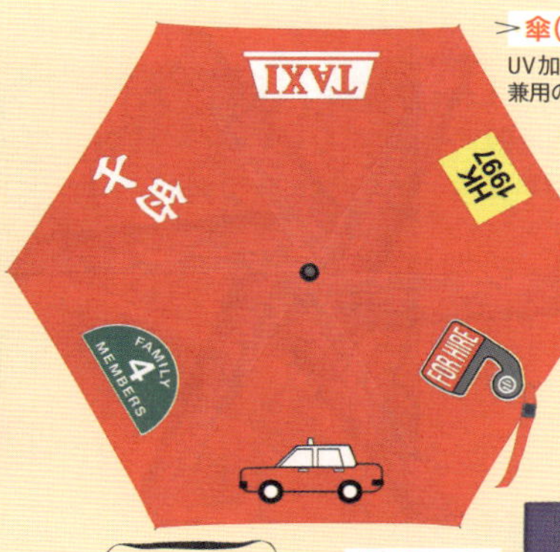

>傘(タクシー)

UV加工の超軽量の晴雨兼用の折りたたみ傘

HK$238

HK$238

>ショッピングバッグ

おみやげに人気No.1のエコバッグはデザインも豊富

>アイマスク

裏地はやわらかいコットンでまぶたにもやさしい

HK$158

>A5ノート

質屋を意味する「押」は香港アイコニックな柄のひとつ

HK$158

台湾の書店チェーン店。アクセサリーや食品なども扱う

誠品書店

誠品書店 Eslite センバンシューディム

銅鑼湾 MAP付録P.16 C-3

台湾発の書店「誠品書店」の初海外店。3フロアにわたる空間には、書籍はもちろん、雑誌、CD、文房具、雑貨など、楽しみがいっぱい。雑貨は台湾のものが多いが、香港オリジナル雑貨も揃っている。

☎3419-6789 交Ⓜ銅鑼灣駅F2出口直結 所軒尼詩道500号希慎広場8-10F 営10:00～22:00 休無休 E

>駱駝牌CAMEL保温瓶

老舗の香港ブランドの魔法瓶。種類も豊富

HK$259～359

HK$88

>マグネット

香港の街なかが描かれている。おみやげに人気

>トートバッグ

洗練された香港の街なかのイラストはTalentedブランド

HK$198

>エナメルピン

香港らしいカラフルなタクシーのピン。そのほかに黄色や青もある

HK$68

乗ってみてわかるこの街のおもしろさ

09 いろんな乗り物も香港名物なのです!

歩いて観光するのもいいけれど、歩きとは違う目線で街を眺めてみると、新しい発見に出会えるかもしれない。

香港の主要スポットを循環するバスは乗り降り自由

交通系ICカードのオクトバス・カードがあると便利

オープンエアの2階席で心地よい風を感じて

オープントップバス

開蓬巴士 Opentop Bus

2階建てバスの屋根がすっかり取り払われているオープントップバスは、風を感じながら360度見渡せる香港名物のひとつ。街を走り抜ける爽快感がたまらない。予約なしで乗れるものと、旅行会社が企画するツアーがある。

乗り方

予約なしで乗り降り自由な公共バスを運営する「人力車バス」は、中環バスターミナルやハーバー・シティ、文武廟や大館など、街のいたるところで乗車できる。

1 バス停を探して乗車する

乗りたいルートを選んで、乗りたい時間にバス停へ。バスは路線が複雑なので、事前にバス停の掲示を確認しておこう。バスが来たら前方のドアから乗車し、運賃を支払おう。おつりは出ないので注意したい。

2 目的地で降車する

目的地に近づいたら降りる準備を。一日乗車券HK$200を購入すれば乗り降り自由なのでとてもお得。中環フェリーターミナルのチケットカウンターで購入できる。

おすすめは夜の尖沙咀から中環へ向かうH2ルート

パンダバスで行くおすすめナイトツアー

オープントップバス・ナイトドライブ

Opentop Bus Night Drive

尖沙咀を出発し、ヴィクトリア・ハーバー沿いを走り、ネイザン・ロードへ。ネオン看板のすぐ下をすり抜けるスリルを感じながら、約1時間かけて夜の街を走る。食事付きツアーもある。

☎2724-4440 営20:30～(1日1回)
料HK$480(ツアー内容によって異なる)
HP www.pandabus.com
※交通状況などによりルートが変更になる場合があります

目の前に広がる夜景に感動

ネオン看板のすぐ下をすり抜ける爽快感が楽しめる

パンダがデザインされたバスが目印

夜の街を走るレトロな車体はフォトジェニック

車体ごとに色とりどりのラッピングがされているのも見どころ

香港島を横断する市民の足は歴史ある路面電車

トラム

付録P.27

香港電車 Tramways

香港島の北側を東西に結ぶトラムは、1904年に開通した香港を象徴する乗り物。3つのルート、6つの路線があり、市民の便利な移動手段として根付いている。のんびり走る車窓から街を眺めたい。

乗り方

1 停留所を探して乗車する

250～500m間隔で道路の中央分離帯に停留所がある。路線は進行方向が異なる西行きと東行きがあるので、車体の前方に表示されている行き先をよく確認して乗車しよう。乗車は後方のドアから回転式のバーを押して車内に入る。

2 降車する

降車ボタンなどはなく、すべての停留所で停車するので目的地が近づいたら降車の準備をしておこう。降車は運転席横の前方ドアから。運賃もここで支払う。つり銭は出ないのであらかじめ小銭を用意しておくか、オクトパス・カードで支払おう。

レトロなトラムで行くおすすめツアー

トラム・オラミック・ツアー

Tram Oramic Tour

1920年代の車両を再現したレトロな雰囲気とデザインが魅力のトラムで上環～銅鑼灣間を約1時間かけて走るツアー。8カ国語に対応していて、各音声のガイドで香港の街を案内してくれる。

☎2548-7102 営【上環発】10:00、13:45、16:15【銅鑼灣発】11:15、15:00、17:30(所要約1時間) 料HK$150 HP www.hktramways.com

トラム内には歴史を感じるギャラリーもある

路線沿いの個性的な建物にも注目したい

オープントップ型のトラムに無料Wi-Fiを完備

トラム2日間乗り放題＋ツアー参加代込みでHK$150のお得なチケット

スター・フェリーは→P.25

Power Spot

風水の街で運気を上げる!

九龍半島から香港島へ「気」が流れるらしい

10 パワースポットで開運!

門で出迎える麒麟像。なでると体の悪いところが治ると信じられている

どんな願いも風水におまかせ。人々の暮らしには風水が根付いている。有名寺院や街なかの開運スポットを巡って幸せをつかもう。

必ず願いが叶うと信仰される寺院

黄大仙祠

全体運アップ

黄大仙祠 ウォンタイシンチー

黄大仙 MAP 付録P.5 D-1

仏教、道教、儒教が習合する道教寺院で、4世紀の仙人・黄初平をはじめ、観世音菩薩、孔子を本尊とする。「有求必應(求めれば必ず願いが叶う)」と称され、参拝者が後を絶たない。五行思想を表した建築デザインも見どころ。引いたおみくじは、占いブースで詳しく鑑定してもらえる。

☎2327-8141 交Ⓜ黄大仙駅B2出口から徒歩3分 所竹園村2号 開7:30～16:30 休無休 料無料(各所にある功徳箱に心付けを)

←参拝ルートのひとつ、「孟香亭」は、五行思想の火を象徴

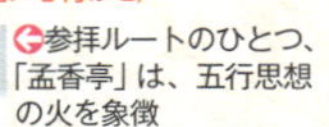

→月下老人に恋愛の願い事を叶えてもらえるかも!?

参拝の流れ

1 線香を手に入れる
黄大仙駅前から廟への参道に並ぶ露店で、9本入りの線香を購入しておく。

2 境内でお賽銭を
心付けのお賽銭は、境内の各所にある「功徳箱(香油箱)」に納める。

3 線香に火をつける
ろうそくが燃えるランタンがあるので、9本まとめて火をつける。

4 線香を供える
両手で線香を持ち、顔のあたりに掲げて三礼したあと、願い事を唱える。

5 本殿で参拝
各祭壇の香炉に供える線香は3本ずつ。左手で立てるとなおよいとされる。

6 良縁を祈願する
無料でもらえる赤い糸を両手指に絡めて、異性側の縄に結び付ける。

風車を回して運気をアップ！

車公廟

健康運アップ

車公廟 チェーゴンミュウ
沙田 MAP 付録P.3 E-2

300年以上の歴史を持つ道教寺院で、祀られるのは南宋(1127～1279年)の将軍「車大元帥(車公)」。洪水と疫病から街を守ったとされ、市民に崇められている。風車をシンボルとし、本堂に置かれた銅製の風車は、良い運勢に変えたいなら時計回りに回すと逆境を転じ、現状保持を望むなら反時計回りに回すと良運をとどめてくれるという。

☎2603-4049 交Ⓜ車公廟駅B2出口から徒歩5分 所沙田車公廟道7号 開8:00～18:00 休無休 料無料

↑高さ11mもある車公像はインパクト大！

↑車公に願い事を伝えて、線香を供える

本殿にある金色の風車。手で回して良い運を呼び込もう！

↑緑の瓦、赤い壁に金色の装飾が映える本殿

ありがたい神様が大集合！

天后廟

全体運アップ

天后廟 ティンハウミュウ
浅水湾 MAP 付録P.20 C-4

レパルス・ベイ南端にある香港有数の開運スポット。日本とは一線を画すひときわ派手な寺院には、海と漁師を守る女神で、万物にご利益があるという天后をはじめ、結婚、健康、財運、子宝、長寿などの神様の像が一堂に集まる。

☎なし 交淺水灣海灘停留所から徒歩17分 所南湾道8号 開日の出～日没 休無休 料無料

↑不老長寿のご利益がある長寿橋。1回渡ると寿命が3日延びるとか

↑巨大な観音像。手には金を出す筒を持っている

魚の口にコインを投げ入れると出世する!?

愛と結婚をもたらす神様「月老」。婚姻石をなでて恋愛運アップ！

香港で最も古い道教寺院

文武廟

仕事運アップ

文武廟 マンモンミュウ
上環 MAP付録P.12 B-3

ハリウッド・ロード沿いにある1847年に建てられた香港最古の道教寺院。祀られているのは、学問の神様「文昌帝」と武神「関羽(関聖帝)」。神聖な空気と煙が立ち込める廟内では、地元の参拝客が熱心にお参りする姿が見られる。

☎2540-0350 交Ⓜ上環駅A2出口から徒歩10分 所荷李活道124-126号 開8:00~18:00 休無休 料無料

←170年以上の歴史を誇り、歴史的な文献も数多く残る

つくりの美しさは香港随一

蓮花宮

健康運アップ

蓮花宮 リンファーゴン
天后 MAP付録P.17 F-3

1846年に建てられた観音様を祀るお宮。本堂は蓮の花を模した八角形で、建物にはザクロや桃の装飾が施されている。漆喰のレリーフや天井に舞う龍の絵が見事。旧暦8月14日から3日間かけて「大坑舞火龍」の祭りが盛大に行われる。

☎2578-2552 交Ⓜ天后駅B出口から徒歩5分 所西街街尾 開7:30~17:00 休無休 料無料

↑知る人ぞ知る聖地で、地元で根強い人気

よい気が集まる心経の道

ハートスートラ

全体運アップ

心經簡林 サムゲンガンラム
ランタオ島 MAP付録P.2 A-4

ランタオ島の天壇大仏近くにあるパワースポットで、悪運を流し、エネルギーチャージや浄化の作用があるとされる。般若心経を刻んだ38本の木柱が、無限を表す「∞」を描くように並んでいて、中心がいちばんパワーを得られるとか。

☎なし 交ロープウェイ昂坪駅から徒歩25分 所大嶼山昂坪 開日の出~日没 休無休 料無料

こんなところもパワースポット!?
街なかで運気アップ!

いたるところに開運スポットがある香港。観光のついでにサクッとパワーを授かりたい。

恋愛関係の悩みは、滝の水ですっきり流してしまおう!

運気を運ぶ水が流れる

香港公園

恋愛運アップ

香港公園 ヒョンゴンゴンユン
金鐘 MAP付録P.14 A-3

滝、小川、池など、水が流れる自然の地形を生かし、風水によって設計された公園。龍脈の上にあり、ここにいるだけでよい気を取り込めるといわれている。園内の滝は、滞った恋愛運を流して、よい方向に気を運んでくれる。

☎2521-5041 交Ⓜ金鐘駅C1出口から徒歩5分 所紅綿路19号 開6:00〜23:00 休無休 料無料

金魚に囲まれて金運アップ

金魚街

金運アップ

金魚街 ガムユーガーイ
旺角 MAP付録P.9 B-2

旺角の繁華街にある金魚ストリート。金魚は、風水によい生き物で、中国語で「金余(お金が余る)」と同じ発音のため、金運のシンボルとされる。金魚が水槽内の水を動かすことで、さらなる金運アップにつながるのだとか。

交Ⓜ旺角駅B3出口から徒歩3分 所通菜街 開休店舗により異なる

↑ビニール袋に入った金魚がずらりと並ぶ

色とりどりの金魚を眺めるだけでも、金運アップに期待大!

フラミンゴは幸せ・愛の象徴。ピンクは恋愛運アップの風水カラー

フラミンゴが愛の天使!

九龍公園

恋愛運アップ

九龍公園 ガウロンゴンユン
尖沙咀 MAP付録P.6 B-2

香港を代表する繁華街・尖沙咀にある自然豊かな緑地公園。東京ドーム約3棟分の敷地内にはよい気が充満し、早朝に太極拳をしている人も多い。バードレイクにいるピンクのフラミンゴたちを背景に写真を撮ると、恋愛が叶うかも。

☎2724-3344 交Ⓜ尖沙咀駅A1出口から徒歩1分 所柯士甸道22号(近海防道) 開5:00〜24:00 休無休 料無料

➔よい気に満ちた園内は地元の人の憩いスポット

香港と風水

風水とは、気の流れが物事の吉凶を左右すると考える古代中国からの思想。自然界は木・火・土・金・水に分類され、さらに陰か陽の性質を持つという陰陽五行説が基本。香港では、身近な暮らしはもちろん、よく目にする個性的な外観のビルでさえ、風水の考え方をもとに建てられている。風水の影響を知れば、香港の街歩きがもっとおもしろくなるはず。

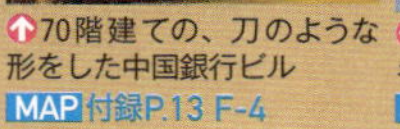

↑70階建ての、刀のような形をした中国銀行ビル
MAP付録P.13 F-4

↑建物の真ん中に穴が開いているザ・レパルスベイ
MAP付録P.20 B-4

↑香港コンベンション&エキシビションセンター
MAP付録P.15 D-2

自分好みにカスタマイズ!
開運グッズをオーダー

開運グッズ① 印鑑

ラピスラズリは金運、紅水晶は幸運、タイガーアイは富貴など、印材に使う石には、隠されたパワーがあるといわれる。

↓ベテラン彫師のルイス・タンさん

オーダーメイドの印鑑専門店
タンズ
Tangs

尖沙咀 MAP 付録P.6 C-4

ザ・ペニンシュラ香港内にある、手彫りの風水印鑑で有名な店。仕事、恋愛、金運など、開運したいことを相談しながら、世界でひとつの印鑑が作れる。サンプルを見ながら注文ができ、2営業日内に完成。

☎9191-7299/2721-1382 交Ⓜ尖沙咀駅L3出口からすぐ 所Ⓗザ・ペニンシュラ香港(→P.148)中2F 営10:00〜13:00、14:00〜18:00 休無休 J J E E 💳

How To Order

1 石を選ぶ
約15〜20種類揃う石には、それぞれに意味があるので、開運したい事柄に合わせて選ぼう。石代HK$350〜

2 書体を選ぶ
約12種類のベーシックな書体をはじめ、アルファベットや動物などもOK。彫り代はHK$200〜

3 ケースを選んで完成!
印鑑ケースと朱肉入れを選ぶ。ケースは印鑑の色に合わせるのがおすすめ。印鑑オーダーで無料

開運グッズ② 花文字

古来、開運をもたらす縁起物として人気の花文字。それぞれの名前や文字に合わせた色使いで文字や動物が描かれる。

↑先祖から希少な技を受け継いでいる馮さん

色彩豊かに描く伝統の花文字
ラッキー・セブン
Lucky7

尖沙咀 MAP 付録P.7 E-2

古くから開運に用いられてきた花文字の伝統を受け継ぐ店。希少な技術と独特の世界観やクリエイティブな発想が融合し、世界中のスターを顧客に持つ。絵が南向きになるように飾ると、さらに開運効果がアップ。

☎6960-8818 交Ⓜ尖沙咀駅P2出口から徒歩5分 所麼地道75号 南洋中心2F UG48号 営14:30〜19:30 休無休 J E 💳

How To Order

1 見本を参考にイメージ
サンプルを参考にして、姓名判断で描いてもらうか、縁起のいい文字にするかを決める

2 描いてもらって完成!
7種類の色を使って描いてもらう。5〜10分で描き終わったら、あとは乾くのを待つだけ

WELCOME TO THE GASTRONOMIC TOWN

グルメ&カフェ

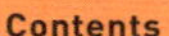

話題の料理も定番も

Contents

香港の食事で気をつけよう 食べたいものを食べる!

中国各地の名物料理が根付く一方、世界の食文化も取り込んだ美食の街・香港。食事マナーを守りながら、地元の人々に愛される絶品メニューを楽しみたい。

出かける前に

どんな店を選ぶ?

街なかには飲食店がひしめいており、料理のカテゴリーは多種多様。「何を食べたいか」を決めて店を探そう。さらに店の規模や格、価格帯も、洗練された高級店からローカル度満点の大衆店までピンキリ。ロケーションや雰囲気、予算なども考慮して店をチョイスするのがおすすめ。

レストラン ……………… 酒家・菜館・飯店

大酒楼とつく大規模店、酒楼とつく中規模店、酒家や軒などの高級店がある。

飲茶店 ……………………… 飲茶店

朝から昼食の時間にかけて、多くの中国料理店が点心を出している。

麺粥店 ……………………… 麺粥店

家族経営の小規模店をはじめ、チェーン店などの麺粥専門店が早朝から営業。

ファミレス ………………… 茶餐廳

香港独特の茶餐庁はメニューがとにかく豊富でユニーク。安くて早いのも特徴。

スイーツ店 ………………… 甜品店

伝統スイーツ、洋風デザートなど、ジャンルに特化した各店が軒を連ねる。

カフェ ……………… 冰室・咖啡室

インテリアやコーヒーにこだわりを持つ、個性派カフェが街中に点在。

食事の時間は?

麺粥店や茶餐庁は朝7時頃から夜まで営業しており、朝食や小腹がすいたときに便利。レストランの目安は、11～15時頃と17～22時頃。香港のランチタイムは13～14時と遅め。この時間帯は混むので避けたほうが無難。

おいしい店を見分けるコツは?

客で賑わっている店にはずれはない。行列を見つけたら思いきって並ぶのもアリ。ただし地元の人ばかりの店は日本人に合わないこともあるので、店頭のメニューや店の雰囲気も確認を。

予約は必要?

高級店や超人気店は事前に予約を。香港版グルナビ、openriceでの予約が簡単(英語または広東語)。大衆店は空いていれば入ることができる。英語が通じない店に予約を取りたい場合は、ホテルのコンシェルジュに頼むとよい。

ドレスコードは?

おおむね香港のレストランに決まりはない。ホテルのレストランや高級店では店の格に合った服装を心がけたい。

香港にもハッピーアワーがある?

蘭桂坊やナッツフォード・テラスなどで、多くのバーが17～20時頃にハッピーアワーを設けている。1杯頼むともう1杯無料というパターンが多い。

入店から会計まで

入店して席に着く

勝手に席に着かないこと。席が空いていればウェイターが案内してくれる。予約をしている場合は受付で名前を伝えよう。

飲み物を注文する

まずテーブルの担当係がドリンクの注文を聞きに来る。プーアール茶を頼むのが一般的で、大きなポットで提供される。

料理を注文する

メニューは広東語で書かれており英語併記の店も。シェアして食べる前提なので、人数分の皿をまずは注文し、足りない場合は追加を。

注文を、お願いします。
唔該、點菜。
ンゴイ、ディムツォイ

食後のデザート

食事の終わりに係がデザートの注文を取りにくる。お腹がいっぱいなら断ってかまわない。

会計する

「チェック」と伝えれば係が計算書を持ってくる。間違いがないか確認し受付で支払いを。お茶が有料の店はその代金も入っている。

会計をお願いします。
唔該、埋單。
ンゴイ、マイダン

お店に行ってから

メニューの組み立て方
中国料理店はメニューが多いので、注文に悩んでしまうことも。おすすめや人気の品は写真付きのこともあるので参考にしよう。それでも決められないときはセットコースを頼むとよい。

「金牌」「招牌」にハズレなし!
レストランのメニュー表にある「金牌」は、料理賞などで金賞を取ったもの。また「招牌」は、店の看板料理を表している。メニュー表ではまずこの2つを探してみよう。

持ち込みOKの店がある
お酒のメニューがない店もある香港では、アルコール持ち込みが可能な店がある。スーパーなどで購入して持参しよう。「自帯酒水」の文字が目印。ただし持込料がかかる場合が多い。

辛いものが苦手な人は「少辣」
四川料理系など辛い料理が人気の香港。辛さのレベルも店によってまちまちなので、心配なときは「少辣(シウラッ)=辛さ控えめで」と伝えよう。やや辛めがいい場合は「微辣」。

おしぼりはない?
大衆店や茶餐庁におしぼりはない。ポケットティッシュを持ち歩くのがおすすめだ。店によってはテーブルの引き出しに入っていることもあるので確認を。

チップは不要?
庶民的な麺粥店、茶餐庁などではチップの必要はない。レストランではあらかじめ10%程度のサービス料が含まれていることが多いので、おつりの小銭を残す程度でOKだ。

日本にない食材にトライ!
せっかくの香港旅行なら日本ではなかなかお目にかかれない香港ならではの食材を味わいたい。ハト料理や南国フルーツ、B級グルメの魚蛋など。気軽に挑戦できておすすめなのは麺粥専門店のサイドメニュー。米粉を蒸した腸粉はもちもち食感がやみつきに。

よくばりさんは「雙併」!
「雙併」とは盛り合わせのこと。さまざまな種類のロースト肉を提供する店などでは、どれにするか迷ってしまいがち。少し割高になるが、頼むと少量ずつを盛り合わせにしてくれる。

料理を持ち帰りたいときは?
ボリュームは店によって異なるが、大皿料理は食べきれないことも多い。残した分は「ダーパオ」とお願いすれば容器に詰めてもらえる。

持ち帰りたいのですが。
唔該、打包。
ンゴイ、ダーパオ

知っておきたいテーブルマナー

香港で多彩な料理を楽しむ前に、日本とは異なるテーブルマナーについて知っておこう。お皿を持ち上げない、たばこは吸わない、お酒もあまり飲まないなど、マナーを守ればよりいっそう食事が楽しくなる。

お皿の使い方
中国料理店では、平皿の上にお碗がセッティングされている。シェアする店では、平皿ではなくお碗を使って食べること。なお皿は持ち上げず食べる。

たばこは吸っていい?
レストランでは全面的に喫煙が禁止されている。決められたスペースがある場合は必ずそこで吸う。

お茶のお代わりが欲しい
ポットに入れられたお茶と一緒にお湯のポットも提供される。自分で注ぎ足しながらいただこう。お湯がなくなったら蓋をずらしておくと、ウェイターが足してくれる。

飲酒のマナー
香港では食事をしながら飲酒をする習慣があまりない。そのため店のアルコールメニューも限られる。泥酔は恥ずかしいこととされるので気をつけて。

中国料理の料理名は食材と調理方法の組み合わせで構成されている。漢字から読み解いてみよう。

調理方法から読み解く

蒸 ジェン	セイロなどで蒸した料理。シュウマイや小籠包など。
煎 ジン	少量の油で両面を揚げ焼きしたもの。
炸 チャー	油で揚げた料理。春巻やコロッケなど。
煮 チュー	スープなどでじっくり煮込んだ料理。
焗 ハウ	オーブンや窯などでローストしたもの。
燒 シウ	直火で焼いたもの。餃子や大根餅など。

食材から読み解く

鮮蝦	エビ
龍蝦	ロブスター
鶏	鶏肉
豬肉	豚肉
牛腩	牛バラ肉
通菜	空芯菜
番薯	サツマイモ
蘿蔔	大根
芋頭	タロイモ
芒果	マンゴー

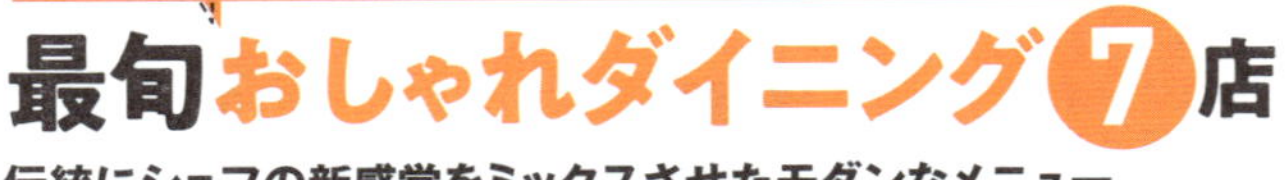

最旬おしゃれダイニング7店

**伝統にシェフの新感覚をミックスさせたモダンなメニュー。
内装にもこだわった話題のレストランで最先端の料理を満喫!**

おしゃれポイント
グリーンを配した色彩が空間を優美に演出。まるで温室にいるかのような雰囲気

福建省の伝統料理をモダンアレンジ

ミン・パビリオン

茗悅 Ming Pavilion
金鐘 MAP 付録P.14 A-3

2024年2月オープンのファインダイニング。料理長は中国料理一筋20年以上の経験を持つラム・ヤン シェフ。5ツ星の洗練された美食をペアリングしたティーとともに味わって。

☎2820-8580 交Ⓜ金鐘駅C1出口から徒歩9分 所金鐘道88号太古広場二座港島香格里拉酒店8楼 営12:00～15:00、18:00～22:00 休無休

←ティーマスターのティファニー・チャン

↑ピーナッツスープ、揚げパン、自家製黒胡麻団子HK$68

↑上品な甘さ・渋みの鉄観音茶HK$88

Designer's Profile

ラサロ・ロサ・ビオラン
LAZARO ROSA VIOLAN

40カ国以上のホテル、レストランのデザインを行う著名なインテリアデザイナー。香港の自然環境から受けたインスピレーションと西洋文化の融合が特徴。

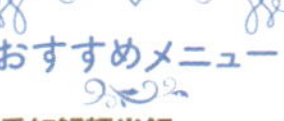

おすすめメニュー

閩南五香巻 HK$118
豚肉を湯葉で巻いて揚げたもの。福建省の閩南（ビンナン）エリアの郷土料理

おすすめメニュー

飄香紅鱘糯米飯
HK$888
人気料理のひとつ。もち米と濃厚なカニみそが詰まったカニおこわ

まったく新しい
インド料理体験を楽しむ

リーラ

Leela

銅鑼湾 MAP 付録P.16 C-3

2023年11月のオープン直後からまたたく間に人気店になった、今香港でインド料理といったら誰もがここを勧める有名店。伝統的なインド料理の要素を保ちつつ、現代的なアプローチを加えた料理が揃う。

☎2882-5316 交M銅鑼灣駅F出口から徒歩6分 所 軒道1号利園三期301-310号舗 営12:00～15:00、17:30～23:00(月～水曜は夜のみ) 休無休

おしゃれポイント
内装は、今香港で勢いのある若手インテリアデザイナーのアンドレ・フーによる

➡ラム・ナゴリ・コルマHK$288は人気のクリーミーなカレー

おすすめメニュー
骨髄ビリヤニ
HK$378
ビリヤニをベースに骨髄を中央にトッピング。骨髄は濃厚な味わい

⬇タンドリービーフチョップHK$448。看板メニューのひとつ

Chef's Profile
マナ・トゥリ
Manav Tuli
英国でキャリアをスタート。レストラングループのジアとコラボしリーラをオープン

伝統とモダンの融合
ラグジュアリーな時間を

チャイニーゾロジー

Chinesology

中環 MAP 付録P.13 E-2

高級ショッピングモールifcモールにあるモダン広東料理店。料理を総括するのは、香港を代表するミシュランシェフの一人チャウ・サイトー氏。中国の伝統的な大衆料理を現代的に昇華させる料理が得意。

☎6809-2299 交M香港駅F出口ifcモール直結 所金融街8号ifcモール3階3101-07号舗 営12:00～15:00、18:00～22:00 休無休

おしゃれポイント
高級感漂う木材やエレガントな大理石が豪華に配置されていいる。天井が高く開放的

⬆ホタテのマシュマロ入りスープライス

⬇レンコンを使った前菜。斬新なデザインの一品 HK$188

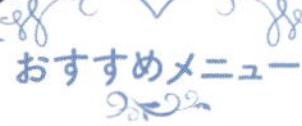

おすすめメニュー
桂花烏龍煙燻脆皮雞
HK$398(ハーフ)
キンモクセイ入り烏龍茶で燻製して仕上げた伝統的な鶏の丸揚げ

⬆店内からはヴィクトリア・ハーバーや西九龍の名所を見渡せる

料理でゲストに驚きを
クリエイティブな創作料理

ハウスオブカルチャー

House Of Culture
西環 MAP 付録P.11 E-2

2023年11月にオープンした多国籍料理レストラン。オーナー兼シェフのルーツであるオーストラリアやマレーシアをベースに、さまざまな国のアレンジを加えた創作料理が得意。完全シークレットのシェフおまかせメニューHK$658が人気。

☎4418-2265(whatsappメッセージのみ) 交Ⓜ西營盤駅B 3出口から徒歩3分 所皇后大道西335-339号肯保商業大廈地下B舗 営18:00～23:00(金・土曜は～24:00) 休無休

おしゃれポイント
落ち着いた照明と大きなバーカウンターが特徴。半個室でゆっくりと過ごすことも。

➡エビをあしらったアルファHK$128。コンソメスープのような味わい

⬆ココナッツミルクで14時間煮込んだショートリブHK$428

おすすめメニュー
オニオンタルト
HK$158
じっくりと焼いた飴色のオニオンペーストをパイにのせた自慢の裏メニュー

セレブに愛される
ロケーション抜群のバー

カーディナルポイント

Cardinal Point
中環 MAP 付録P.13 E-3

4つのレストランと1つの会員制クラブからなるマルチコンセプトフロア「Forty-Five」。そのうちのひとつのカジュアルバーで、国際色豊かな料理やオリジナルカクテルを提供。セレブのイベントに使用されることも。

☎3501-8560 交Ⓜ中環駅G出口直結 所皇后大道中15号置地広場中庭告羅士打大廈43-45楼Forty-Five内 営12:00～翌1:00 日曜、祝日11:30～22:00 休不定休

おしゃれポイント
ランドマークの最上階に位置するオープンテラスは眺望抜群。バーカウンターの巨大絵画が目を引く。

⬆食べごたえ抜群なロブスターロールHK$220

おすすめメニュー
アンティノリ
HK$220
マッシュルームとパンチェッタがのった一番人気のピザ

⬅パンダンリーフをあしらったハイボールHK$160

独創的なアプローチが光る
大人気モダンチャイニーズ

口利福

口利福 ハウレイフッ

上環 MAP 付録P.12 C-3

香港の伝統的な要素を現代的に表現し、香港の過去と未来が共存するようなデザインにリニューアルした。独創的な感覚を持つシドニー出身の台湾人シェフが作る洗練された中国料理が大評判。

☎2810-0860 交Ⓜ中環駅D2出口から徒歩10分 所蘇豪伊利近街3-5号地舗 営18:00〜24:00 休無休 E 英 カード

Chef's Profile

アーチャン・チャン
Archan CHAN

シドニー出身。香港の家庭料理のアレンジや新しい解釈の料理が得意な新鋭シェフ

➔ロブスターは3日前に予約が必要。ソースが選べる(時価)

おしゃれポイント
シノワズリの壁紙やスカーレットのベルベッドソファが昔の香港映画を感じさせる。

おすすめメニュー

ホリー・ダッグ HK$668
新メニューに加わった、ジューシーに調理されたアヒル。数量限定

複雑で味わい深い
ラテンアメリカ料理

モノ

Mono

中環 MAP 付録P13 D-4

伝統的かつ洗練されたフレンチの手法を用いたコンテンポラリー・ラテンアメリカ料理。3年連続でミシュラン1ツ星を獲得し、2024年のアジア50ベスト・レストランでは27位にランクインしている。

☎9726-9301(Whatsappでのメッセージのみ) 交Ⓜ中環駅D1出口から徒歩5分 所安蘭街18号5楼 営12:00〜14:30、18:00〜22:00 休月・日曜 E 英 予約 カード

↑メキシコ産マリーゴールドとキンカン、黒胡椒を使ったスパニッシュアプリコット

おすすめメニュー

イエロー・テイル・カルパッチョ
新鮮なブリを使用した彩り豊かなカルパッチョ

おしゃれポイント
シェフズ・カウンターを中心にデザインされたポップでコンテポラリーな店内。

Chef's Profile

リカルド・シャネトン
Ricardo Chaneton

アイランド シャングリ・ラのミシュラン1ツ星フレンチレストラン「ペトリュス」のエグゼクティブ・シェフを務めた経験がある

シャンパンブランチ
HK$998(プロセッコ)
シャンパン飲み放題。ペリエ・ジュエは3ランクを用意。HK$1068、HK$1258もある
BRUNCH DATA
営12:00～15:30、日曜のみ

まったり優雅に、贅沢な休日を香港で

シャンパン片手に極上ブランチ4店

香港では最近、高級レストランの週末限定ブランチが大人気。ブッフェ形式やコースなど料理はさまざまで、なかにはシャンパン飲み放題のレストランも!

シャンパンブランチの先駆け的存在

オイスター&ワインバー

Oyster & Wine Bar
尖沙咀 MAP付録P.6 C-4

ヴィクトリア・ハーバーを望む店内でオイスターをはじめとするシーフードが楽しめる。時間制限がなく、ゆっくり過ごせるのも魅力。

☎2369-1111 交Ⓜ尖沙咀駅E/K/L1出口からすぐ 所彌敦道20号18F 営18:30(金・土曜18:00)～23:00 日曜12:00～15:00、18:30～23:00 休無休

フォアグラと鶏胸肉とボストンロブスター(コースの一品)
メイン料理は4種から選ぶ。ほかに仔牛肉や白身魚などがある

↑ブッフェスタイルで食べ放題、シャンパンも飲み放題

↑シェラトンホテルの18階にあり、高層ビル群を眺めながら食事ができる

↑中華系スイーツからケーキまで、デザートも充実

↑シーフードは冷たいものが15種類、温かいものが10種類ほど

シャンパンと味わうフレンチコース

エピュレ

Épure

尖沙咀 MAP付録P.6 B-3

数々の有名レストランで修業を積んだニコラスシェフのモットーは、旬のフレンチ素材を生かすこと。伝統とモダンを融合させた、シンプルな料理が特徴だ。店内はフランス王宮を思わせるエレガントな雰囲気。

☎3185-8338 交Ⓜ尖沙咀駅L5出口から徒歩5分 所広東道3-27号海港城海洋中心L4 403号舗 営12:00～17:30、18:30～21:30 休無休

3コース週替わりブランチ HK$688～

ブランチは3コースを用意。ミドル一品を追加することも可能。メニューは週替わり

BRUNCH DATA

営12:00～14:30、土・日曜

←フランス国土を表す六角形をインテリアにも採用

→繊細な味わいのティエノ・ロゼ

クリエイティブなモダンチャイニーズ

ザ・チャイニーズ・ライブラリー

The Chinese Library

中環 MAP付録P.13 D-3

歴史とアートの発信地として生まれ変わった旧セントラル警察署内にある。コロニアルスタイルの豪華な店内でいただくのは、モダンにアレンジされた中国料理。広東から四川まで、さまざまな地域の味を表現。

☎2848-3088 交Ⓜ中環駅D2出口から徒歩10分 所大館(→P.34)1F 東翼 営11:00～24:00 休無休

Jadeランチセット HK$398

東南アジアのフレーバーを感じる小籠包や淮陽料理などメニューが多彩

↓幸運をもたらすとされるマンゴーを使ったカクテル

←歴史を感じる建物。芸術的な照明や大理石のテーブルが豪華絢爛

ホテルの118階でドンペリ・ブランチ

オゾン

Ozone

西九龍 MAP付録P.19 B-4

ドン・ペリニヨンを思う存分楽しめる贅沢なバー。ザ・リッツカールトンの118階にあり、はるかにヴィクトリア・ハーバーを見下ろすことができる。ロブスターパエリアや寿司など魚介を使ったメニューも充実。

☎2263-2270 交Ⓜ九龍駅C1出口から徒歩3分 所Ⓗザ・リッツ・カールトン(→P.149)118F 営16:00(土曜14:00)～翌1:00 休無休

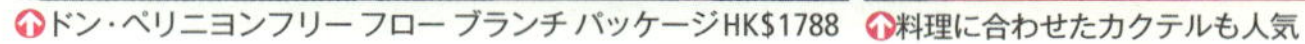

↑ドン・ペリニヨンフリー フロー ブランチ パッケージHK$1788

↑料理に合わせたカクテルも人気

まずは定番から攻める! 食通を唸らす名店の逸品に舌鼓

至高の広東料理を味わう老舗7店

淡白な味で日本人にもなじみのある広東料理。フカヒレや鶏の丸揚げなど豪華な料理は、旅の記念にもなりそう。国内外から客が集まる名店で、極上の料理を楽しもう。

西苑大哥叉焼 HK$268
ハニーテイストでやわらかい、ジャッキー・チェンの好物として知られるバーベキューポーク

香港スターゆかりの名物料理で知られる

西苑酒家

西苑酒家 サイユンジャウガー
銅鑼湾 MAP 付録P.16 C-3

広東料理の老舗で、ジャッキー・チェンが愛したバーベキューポークをはじめ、杏仁クリームパンなど、名物メニューや豊富な点心類が自慢。食材にこだわり、無添加でヘルシーな料理を心がけている。

☎2882-2110 交Ⓜ銅鑼湾駅F1出口から徒歩5分 所希慎道33号利園一期5F 営11:00(日曜、祝日10:00)〜23:00 休無休 J J E E

↑リーガーデンズ1の5階で、店内はモダンで広々としている

高湯特式小籠包泡貴妃飯 HK$388
小籠包付きの上海風スープ雑炊。極上のスープで贅沢な味わい

食べ方NAVI

①小籠包を入れる
カニみそがたっぷり入った特製の小籠包をスープで煮込む

②ご飯を入れる
小籠包が温まったら、サラサラのご飯を入れて、雑炊にする

③小籠包を食べる
ほどよく温まったら、スープとともに小籠包をいただく

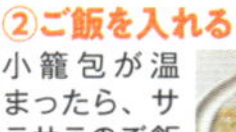

④雑炊のできあがり
ぐつぐつと煮えてきたら完成。火を止めて、雑炊をいただく

西苑銀絲羔蟹煲 HK$468
カニと春雨の土鍋煮込み。春雨にはカニの味が染みて、濃厚な味わい

広東料理とは

北京、四川、上海と並ぶ4大中国料理のひとつ。中国南部の広東省で発展した。高級食材をはじめ豊富な材料が特徴で、味付けは比較的薄めでさっぱり。

フカヒレ
サメのヒレを乾燥させたもの。姿煮がポピュラー。広東料理ではほかに、ツバメの巣やアワビといった高級食材も用いられる。

カニ
広東省は海も川もあるため、カニやエビなど水産物が豊富。「食は広州にあり」といわれるほど、料理はバラエティに富む。

鵝肉(ガチョウ)
ガチョウや鴨のまるごとローストは定番メニューのひとつ。ほかに野菜や果物も豊富。点心ももともとは広州で発達したもの。

ロブスターが大人気の
海鮮料理レストラン

竹園海鮮飯店

竹園海鮮飯店 ジュッユンホイシンファンディム

上環 MAP 付録P.12 B-1

1950年代に屋台から始まり、現在は香港に3店舗を持つまで人気となった。名物はロブスターとバターのチーズ焼き。ほかにも日本では珍しい海鮮メニューがたくさんあるので、店員さんにおすすめを聞いてみよう。

☎2668-9638 交Ⓜ上環駅C出口から徒歩7分 所干諾道西21-24号 営11:30〜23:00 休無休

J J E E

↑大人数でも入れる。日本語での会話が可能なスタッフもいて安心

芝士牛油焗龍蝦 HK$910/kg

店一番の自慢メニュー。1匹まるごとなら約3kgで10人分！人数によって注文を

椒塩海檀蝦

巨大なシャコを甲羅のまま丸揚げ。香ばしいにんにくソースをかけていただく

HK$1040/kg

HK$70~280(1個)

蒜蓉蒸貴妃蚌

新鮮なハマグリをシンプルな味付けで。たっぷりと汁を吸った春雨も美味

予約がなかなか取れない
食通が通う名店

大班楼

大班樓 ダイバンラウ

上環 MAP 付録P.12 C-2

オープン以来、多くの食通を虜にする超人気店。信条は、旬の新鮮な食材をシンプルにおいしく食べてもらうこと。地元産やオーガニックにこだわり、じっくり手間ひまかけて料理を仕上げている。

☎2555-2202 交Ⓜ上環駅E2出口から徒歩4分 所威靈頓街198号The Wellington 3F 営12:00〜15:00、18:00〜22:30 休無休

E E

↑無駄を省いたシンプルなインテリア。スタッフの接客も見事

蟹肉糯米飯

花ガニを贅沢に使用したカニすり身のチャーハン。すり身は当日準備するため、予約が必要

冬菇羊肚菌炆腐皮

湯葉のミルフィーユ蒸し揚げに、シイタケや高級マッシュルームのあんをかけて仕上げた一品

龍井菊花煙燻乳鴿

龍井茶と菊でマリネした若鳩を長時間低温でスモーク。やわらかく骨まで食べられる

※コース料理HK$1380〜のみ。料理の内容は日によって異なる

初代が築いた伝統の味を
娘が引き継ぎ、店を復活

益新美食館

益新美食館 イエッサンメイセェッグン
湾仔 MAP 付録P.15 D-3

1962年に開店した前身の益新飯店は、当時珍しかったフュージョン料理を提供し人気に。現在2代目の娘さんが志を受け継ぎ、広東や上海料理に西洋スタイルを取り入れた、益新の変わらぬ味を提供する。

☎2834-9963 交Ⓜ灣仔駅B1出口から徒歩3分 所軒尼詩道50号上海実業大廈地下 営11:30〜23:30 休無休

↑初代が高齢のため一度は閉めた店を、2代目が奮起して再オープン

西檸煎軟鶏 HK$290(ハーフ)
鶏肉を使った中国料理にレモンジュースやバターを取り入れた。今や香港料理の定番

炒桂花翅(足三両) HK$1480
フカヒレ炒め。少ない油とソースで焦げないように調理。料理人の腕が試される一品

蜜汁叉焼皇 HK$298
広東料理では欠かせないチャーシュー。肉がやわらかく、タレの甘さが効いている

海外にも支店を持つ有名店
数々のメニューを品揃え

利苑酒家

利苑酒家 レイユンザウガー
銅鑼湾 MAP 付録P.16 B-3

30年以上の店の歴史のなかで開発した料理は1000種以上！なかにはXO醬や楊枝甘露もあり、今では香港の名物になっている。現在香港に11店のほか中国やマカオにも展開。看板料理はやわらかい豚バラ肉のロースト。

☎2506-3828 交Ⓜ銅鑼灣駅A出口から徒歩3分 所勿地臣街1号時代広場10F1003店 営11:30〜15:00、18:00〜22:00 休無休

↑店内は広々としていて、グループで賑やかに食卓を囲める

冰燒三層肉 HK$145
カリカリの皮、ジューシーな脂と肉が楽しめる焼き豚。三層肉は皮と脂、肉が層をなすことから名付けた

龍蝦湯過橋象拔蜯 HK$798
本ミル貝の薄切りに、ロブスターソースを添えたもの。新鮮なシーフードを堪能

天麻燉龍躉骨 HK$688
中国4大魚の高級魚、タマカイの骨をオニノヤガラなどの漢方と煮込んだスープ

著名人にも愛される
老舗高級レストラン

福臨門

福臨門 フォクラムムン

湾仔 MAP 付録P.15 D-3

創業者が1948年にスタートした「福記」のケータリングサービスが始まり。以来国内外に支店を持つ大型レストランに成長した。伝統的な広東料理から点心まで、伝統手法でひとつひとつていねいに作られる料理を楽しんで。

☎2866-0663 交Ⓜ湾仔駅B2出口から徒歩4分 所莊士敦道35-45号 営11:30〜14:30、18:00〜23:00 休無休
J E E

↑創業から70年以上。ミシュラン1ツ星

瑤柱荷葉飯 HK$600
干し貝柱や鴨肉、鶏肉入りのチャーハンを、蓮の葉で包み45分間蒸し上げる

釀焗鮮蟹蓋 HK$280
炒めたカニ肉を甲羅に詰めて揚げたもの。新鮮なカニの身が香り高い

當紅炸子鶏 HK$800
下味をつけ5時間寝かせた鶏の姿揚げ。手持ちで揚げる伝統手法でやわらかく仕上げる

先代からの秘伝の味を守る
絶品のガチョウのロースト

一楽焼鵝

一樂燒鵝 ヤッロッシウゴー

中環 MAP 付録P.13 D-3

ガチョウを北京ダックのようにローストして、ご飯や麺類にのせていただくローストグースが評判で、ミシュラン1ツ星を獲得。ローストポークやチャーシューなどもあり、1957年以来の秘伝の味を守り続けている。

☎2524-3882 交Ⓜ中環駅D2出口から徒歩5分 所士丹利街34-38号地下 営10:00〜20:00(日曜、祝日は〜17:30) 休水曜 E

↑日本人には珍しいガチョウ料理が食べられる活気あふれる人気店

焼鵝乾撈麺 HK$89
看板メニュー。卵麺や米粉を使った麺など、麺は4種類から選べる

叉焼焼鵝瀬粉 HK$70
ライスヌードルにガチョウとチャーシューをのせたスープヌードル

焼鵝焼肉飯 HK$72
ガチョウとローストポークのご飯。ガチョウはパリパリの皮とジューシーな肉が絶品

広東料理だけじゃない！個性豊かな料理の数々に魅了される

中国全土を食べ尽くす！名物郷土料理 8 店

中国には地域によって異なるさまざまな郷土料理があり、素材、味付け、調理法も多様。そのなかから、美食として知られる四川料理、上海料理、北京料理、潮州料理の名店をご紹介。

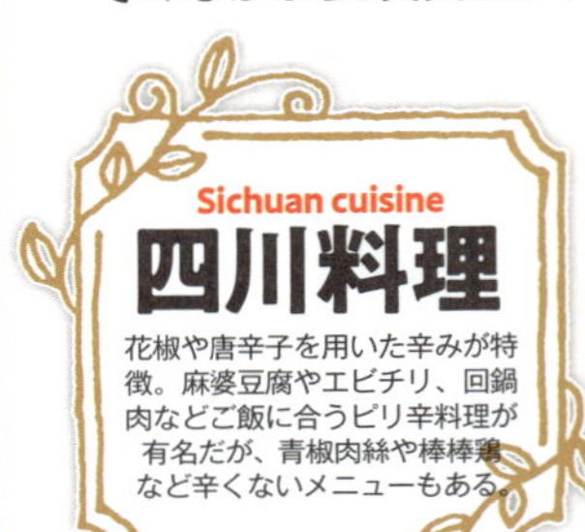

Sichuan cuisine

四川料理

花椒や唐辛子を用いた辛みが特徴。麻婆豆腐やエビチリ、回鍋肉などご飯に合うピリ辛料理が有名だが、青椒肉絲や棒棒鶏など辛くないメニューもある。

新感覚の四川料理をオリジナルカクテルとともに

1935レストラン

壹玖叁伍 ヤッガウサムン

中環 MAP 付録P.13 D-3

湾仔の有名四川料理店・滄川菜館の創業者が2018年にオープン。定番料理をアレンジしたり広東料理とミックスさせたりと、他店では味わえないオリジナルメニューを生み出している。自家製カクテルも自慢。

☎2156-1935 交Ⓜ中環駅D2出口から徒歩5分 所威霊頓街2-8号威霊頓広場M88 19F 営12:00～15:00、18:00～23:00 休無休

J E E ☎ 💳

←おしゃれな店内。カクテルは8種あり

麻婆豆腐
四川料理の定番。ひき肉が多めで食べごたえがあり、ご飯にもよく合う
HK$120

金絲和田玉
ブドウのように盛り付けられた冬瓜を干し貝柱とチキンのスープでいただく
HK$135

←花が彩りを添える女性らしいカクテル。ジンと梅酒がベース

各地で経験を積んだ料理長こだわりの四川料理

鄧記川菜

鄧記川菜 Deng G Sichuan

ダンゲンチュンチョイ

尖沙咀 MAP 付録P.7 D-4

四川省出身で40年以上の実績を積んだ料理長が24の味付けに基づいて作る料理。ヴィクトリア・ハーバーを望める窓側の席はディナー時は予約マスト。

☎2545-3288 交Ⓜ尖東駅J出口から徒歩2分 所尖沙咀梳士巴利道18号維港文化匯K11 Musea 4楼412-413号舗 営11:30～23:30(LO21:45) 休無休

E E ☎ 💳

←店内レストランにはK・BARが併設

魚香肉絲
豚肉の細切りとザーサイの食感が絶妙。魚は使われていない
HK$188

糖醋里脊肉
外はカリッと中はふっくらと仕上がっている酢豚に似た料理
HK$198

夫妻肺片
激辛の麻辣味付けで牛肺と牛舌を使った四川料理の代表的な一品
HK$128

Shanghai cuisine

上海料理

魚介類や米の産地である上海周辺で発達。代表料理は上海ガニや小籠包など。黒酢や醤油などによる甘みを帯びたコクのある味わいは日本人にも人気。

外婆紅焼肉
醤油ベースの味付けでコラーゲンたっぷりのやわらかい豚バラ肉の煮込み
HK$136

充実のコース料理で
上海ガニを味わい尽くす

滬江飯店

滬江飯店 ウーコンシャンハイレストラン

尖沙咀 MAP 付録P.6 C-3

高級食材を使った伝統的な上海料理が比較的リーズナブルに味わえる。人気メニューは、秋から冬にかけての金装皇牌蟹宴という上海ガニづくしのコースHK$688で、カニ肉やカニみそのうまさを堪能できる。

☎2366-7244 交Ⓜ尖沙咀駅E出口から徒歩1分 所彌敦道27-33号良士大廈地庫 営12:00〜23:30 休無休
J E E 💳

蟹皇帯子鍋巴
カニみそとホタテをおこげにかけたもの
HK$380

➡上海ガニを食べに来る日本人のリピーターも少なくない

新鮮な海山川の幸を使った
甘く香ばしい淮揚の郷土料理

10シャンハイ

十里洋場 テンシャンハイ

銅鑼湾 MAP 付録P.16 C-3

東洋のパリと呼ばれた1930〜40年代のオールド上海がコンセプト。店内は上海に実在したナイトクラブのダンスホールをイメージ。中国本土から招いた熟練のシェフによる、豊かな味わいの料理が楽しめる。

☎2338-5500 交Ⓜ銅鑼湾駅F出口から徒歩5分 所恩平道28号利園二期101号舗 営11:30〜15:30(土・日曜、祝日は〜17:00)、18:00〜23:30(金・土曜、祝前日は〜24:00) 休無休 E E 📞 💳

招牌糯米炒大青蟹
人気No.1の香ばしくもちもちした食感のおこわを詰めた一品は必食!
HK$768

⬅黄金時代の上海を彷彿。月・水曜の夜にはライブショーがある

⬇スターフルーツとマンゴージュース、蜂蜜のカクテル

黄瓜
繊細な包丁技がさえる、キュウリの前菜。ゴマ油のソースをつけて
HK$88

小籠包
肉汁があふれ出す人気メニュー。スープをすすっていただこう
HK$68

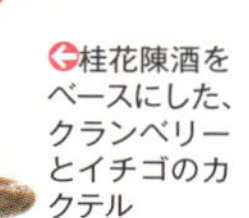

⬅桂花陳酒をベースにした、クランベリーとイチゴのカクテル

Beijing cuisine

北京料理

中国の首都である北京周辺の料理。豚や鶏、羊などの肉がメインの、味の濃いこってりとしたものが多い。北京ダックや饅頭、餃子などが有名。

↑入口すぐ近くに北京ダックの調理を行う開放的なオープンキッチンがある

↑個性的な個室も3室完備

手間ひまかけた宮廷料理を新たな装いの店内で

北京楼

北京楼 バッゲンラウ

尖沙咀 MAP 付録P.6 B-4

伝統的な北京の宮廷料理を提供する高級レストラン。40周年を機にリニューアルされた店内はモダンチャイニーズの装い。良質な若鶏を使った北京ダックが看板メニューで、クリスピーな皮とやわらかい肉が楽しめる。

☎2735-8211 交Ⓜ尖沙咀駅L6出口から徒歩5分 所梳士巴利道3号星光行3F 営11:30～15:00、17:30～23:00 休無休 J E E

富貴鶏
鶏をまるごと蒸し焼きにした料理。金槌で叩き割るパフォーマンスも楽しい
HK$650(要予約)

烤北京填鴨
厳選素材を用いた、油っぽさのないヘルシーな仕上がりが特徴の北京ダック
HK$580(1羽)

宮廷全家福
宮廷料理の代表的な前菜を少しずつ楽しむことができる彩り鮮やかな料理
HK$708

烤北京填鴨
焼きたてを提供。鴨肉、キュウリ、ネギを生地に包んで堪能して
HK$418(1羽)

定番の北京ダックをカジュアルに楽しもう

城中鴨子

城中鴨子 センジョンアップズィ

尖沙咀 MAP 付録P.6 B-3

北京ダックを提供する人気のカジュアルレストラン。高級なイメージのある北京ダックを気軽に楽しむことができる。値段は手ごろだが北京楼と同系列のレストランだけあって料理の質は折り紙付き。

☎2347-6898 交Ⓜ尖沙咀駅A1/L5出口から徒歩8分 所広東道3-27号海港城港威商場3F3319号舗 営11:30～22:30 休無休 E E

桂花糕凍伴鴨件
キンモクセイのゼリー、鴨肉のせ。下にはポテトチップスが敷かれている
HK$138

↑北京ダックは食べ方の説明もあるので安心。あつあつのスープが入った小籠包も人気

↑カジュアルな中国料理レストランとは思えない、おしゃれな内装

Chaozhou cuisine

潮州料理

海の幸に恵まれた広東省東部の潮州市周辺で食べられる。素材を生かしたあっさりした味付けで、日本人の口にも合う。香港には潮州料理の店が多い。

反沙芋條
クリスピーな里芋を甘くさっぱりしたソースとともにいただく
HK$98

昼は飲茶も提供
高級感ある潮州料理を気軽に

潮江春

潮江春 Chiuchow Garden Restaurant
チュウゴンチョン
銅鑼湾 MAP 付録P.16 B-2

香港で最も大きな潮州レストランチェーンのひとつで、伝統的な潮州料理以外にも斬新な料理法で作られた料理を提供。小さな湯呑みで飲む伝統的な潮州スタイルのお茶のサービスも人気。

☎3592-5050 交Ⓜ銅鑼湾駅C出口から徒歩2分 所銅鑼湾駱克道463-483号銅鑼湾広場二期2楼 営8:00〜16:00、18:00〜22:30 休無休 E E

←ロイヤルブルーで統一されたインテリアの並ぶ店内

鹵水鵝片
鹵水に浸した鴨肉を、醤油、ソース、砂糖などの調味料で味付けし、焼いた料理
HK$178

黄金炸油粿
牛肉や豚肉が入った餅を、油で炒めたもの
HK$42

高級食材を巧みに使った
上品な潮州料理

潮庁

潮廳 チウテン
中環 MAP 付録P.13 E-4

この道30年余のベテランシェフ張林波氏が、高級食材を用いて繊細な料理を作り出す。大皿で提供される料理と異なり、ここは一品一品の量が比較的少なめで女性でも食べやすい。あっさりした味わいも特徴だ。

☎2526-8798 交Ⓜ中環駅K出口から徒歩5分 所皇后大道中9号嘉軒広場The Galleria 2F 営12:00〜15:00、18:00〜22:00 休無休 J E E

↑ビル2階にあるモダンな店。滷水拼盤は豚バラ肉や豚耳、大腸などがセット

滷水拼盤
多彩な盛り合わせにスパイスが入った醤油ベースのタレ、滷水をつけていただく
HK$298

馳名滷水鵝肝
中国汕頭産の良質なフォアグラを滷水のタレで食べる珍しい一品
HK$288

中芹蘿蔔煮
生拆蟹拑
新鮮なカニ爪の肉を蒸し、セロリや大根を煮込んだやさしいスープと味わう
HK$428

糖醋黄金伊麺
カリカリに焼き上げた細麺。酢と砂糖をつけて食べる
HK$208

麺もご飯もお手軽。しかも美味

絶品ローカルフード11店

地元で昔から親しまれている、粥や麺、土鍋ご飯といったローカルフード。安くておいしい、これぞ庶民の味方!

とろりと煮込んだ具だくさんのお粥を朝食に

香港の定番朝ごはん

Congee

粥

だしが利いていて、日本の粥とは別物。消化が良いので朝ごはんにぜひ。

活気あふれる店内で粥を堪能

海皇粥店

海皇粥店 ホイウォンチョッディム

銅鑼湾 MAP 付録P.16 B-2

香港内に20店舗を展開するチェーン店。早朝から夜遅くまで営業しており、店内は地元住民や観光客でいつも賑わっている。お粥は米の粒が見えないほどトロトロ。

☎2891-1902 交Ⓜ銅鑼湾駅C出口からすぐ 所駱克道472号地下 営7:00～24:00 休無休

J E E

→↓粥のほか麺や軽食も揃えている。席が限られているので相席になることも

艇皇粥 HK$33

お店イチオシの粥。エビや牛肉、イカ、魚の切り身、パリパリに揚げた魚の皮など具が盛りだくさん

こちらもおすすめ

炸腸 HK$23

粥に浸して食べる揚げパンを、点心の腸粉の皮で巻いたもの。腸粉のやわらかさと揚げパンの歯ごたえが絶妙

南瓜粟米肉砕粥 HK$32

白粥と煮込んだカボチャのコラボレーション。トウモロコシも入って、ほんのり甘い

八菇鹹雞粥 HK$56

鶏肉の旨みが凝縮。お粥は、シーソルトと湯葉をベースに味付けしている

海水塩で味付けした粥が具材の風味を引き立てる

幅広い品揃えの庶民派食堂

七喜粥麺小厨

七喜粥麵小廚

チャッヘイチョッシンシウチュー

太子 MAP 付録P.9 B-1

香港に4店舗あり、深夜まで食事ができる、地元で人気のお店。粥40種を含む300のメニューがあり、落ち着いた店内で海鮮料理や火鍋も楽しめる。

☎2787-6280 交Ⓜ太子駅B2出口から徒歩4分 所花園街244号 営11:30～24:00 休無休 E E

↑店の外観には豊富なメニューがずらりと並ぶ

こちらもおすすめ

炸鮮蝦雲呑 HK$47

エビ入りワンタンの香ばしい唐揚げ。プリプリしたエビの食感がいい

生菜鯪魚球粥 HK$44

オレンジピール(陳皮)を加えた珍しい魚のつみれと、レタスが入ったお粥

長時間煮込んだ魚のだしがあっさりとやさしい味わい

香港に13店舗を持つ有名店

靠得住粥麵小館

靠得住粥麵小館 カウダッジューチョッミンシウグン
湾仔 MAP 付録P.15 F-3

化学調味料を使用せず、4種の魚を使って4時間じっくり煮込んだだしがうまさの秘訣。店内は明るく清潔感があり、観光客でも入りやすい。粥は全部で30種類。

☎2882-3268 交M湾仔駅A3出口から徒歩7分 所克街7号地下 営11:00～22:30 休無休
J E E

↑湾仔店は50人が入れる広さ。麺のメニューも豊富

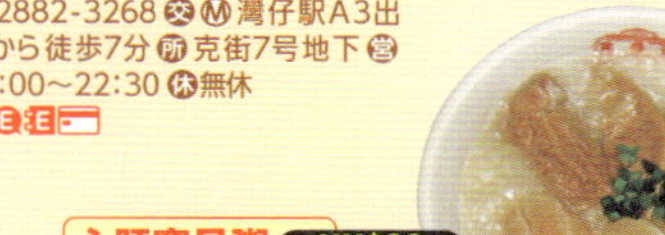

蝦球鶏粥 HK$80
エビと鶏肉の粥。日本人一番人気の贅沢な一品。プリプリのエビ、やわらかい鶏肉が美味

心肝賽貝粥 HK$80
お店自慢の粥。豚モツレバーと大粒のホタテが入った、地元で人気のメニュー

具がたっぷりでボリューム満点

生記粥品專家

生記粥品專家 サンケイチョッバンチュンガー
上環 MAP 付録P.12 C-2

地元の客で常に賑わう下町の一角にある人気店。お粥はじっくり煮込まれトロトロ。新鮮な具材をたっぷり使いていねいに仕上げる。リピーターになる観光客も多い。

☎2541-1099 交M上環駅A2出口から徒歩3分 所畢街7-9号地下 営6:30～20:30 休日曜 J E E

こちらもおすすめ

香煎魚餅 HK$22
お粥と併せて食べたい、名物のフィッシュケーキ

↑隣接の姉妹店でもいただける

皮蛋痩肉粥 HK$40
ピータンと豚肉が入った粥。小サイズでも食べごたえあり。朝粥におすすめ

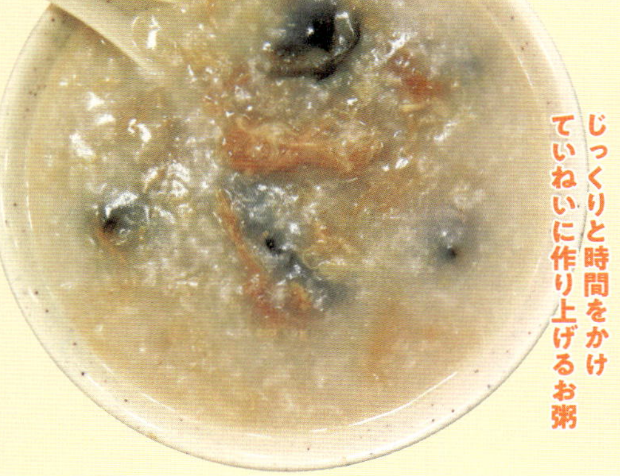

じっくりと時間をかけていねいに作り上げるお粥

牛肉魚片粥 HK$47
やわらかい牛肉と薄切りの魚の切り身が入った、肉と魚が同時に楽しめるお粥

長年地元で愛される味 具の組み合わせは自由自在

昔ながらの麺粥専門店

羅富記粥麵專家

羅富記粥麵專家
ローフーゲイチョッミンチュンガー
上環 MAP 付録P.13 D-2

1959年創業の老舗。レトロな雰囲気の店内で、ベテラン料理人が作る粥や麺が味わえる。人気の油條は売り切れることもあるので、早めの入店がおすすめ。

☎2543-3881 交M上環駅E1出口から徒歩5分 所徳輔道中140号地舗 営7:00～23:00 休無休 E E

こちらもおすすめ

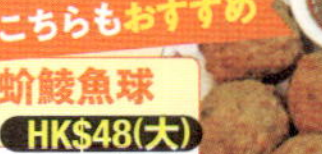

蜆蚧鯪魚球 HK$48(大)
魚のつみれ揚げ。塩味の効いたソースでいただく

↑香港島に3店舗あり、メニューは全店共通

絶品ローカルフード

定番はワンタン麺や牛腩麺。店によって味わいが異なるので食べ歩きを楽しんで。

B級グルメながらミシュラン1ツ星の実力派

正斗鮮蝦雲呑麺 HK$54～
魚やエビなどでだしをとったマイルドなスープと伝統のワンタンの相性は抜群

こちらもおすすめ

香油條腸粉 HK$58～
注文してから揚げる香港式揚げパンを伝統の製法で作った皮で包む

乾炒牛河 HK$138
野菜もたっぷり入った牛肉入りのきしめん炒めは、日本人好みの味付け

絶品ワンタンとお粥の名店

正斗粥麺専家

正斗麵粥專家 ジンダウジョッミンジュンガー

中環 MAP 付録P.13 E-2

1946年創業の、優雅でモダンな店内。ミシュランにも認められた伝統のワンタンを使ったワンタン麺をはじめ、お粥や点心など、香港グルメが満喫できる。

☎2295-0101 交Ⓜ香港駅F出口ifcモール直結 所金融街8号ifcモール3 F3016-3018号舗 営11:30～24:00 休無休 J E E 💳

↑天井にはゴージャスなシャンデリアが連なる

クセになる極細のワンタン麺

麥奀雲呑麺世家

麥奀雲呑麵世家 マッアンワンダンミンセイガー

中環 MAP 付録P.13 D-3

香港で60年以上の歴史を持つワンタン麺の老舗。伝統の味を守りながら、香港に6店舗を展開。透明で上品な味わいのスープと極細麺の相性が秀逸。

☎2854-3810 交Ⓜ中環駅D2出口から徒歩8分 所威靈頓街77号GF 営11:00～21:00 休無休 J E E 📞 💳

↑エビのワンタン麺で知られる人気店

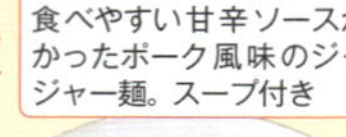

京都炸醤撈麺 HK$66
食べやすい甘辛ソースがかかったポーク風味のジャージャー麺。スープ付き

蝦球蝦籽撈麺 HK$115
エビと干しエビの汁なし麺で、エビの卵をちりばめたエビづくしの新メニュー

ワンタン麺を引き立てるのはカレイと豚骨ベースのスープ

香港ではワンタン麺以上にポピュラーな牛バラ麺

牛腩麺 HK$45
甘く煮込んだ牛バラ肉を使い、あっさりとしたスープとのバランスがいい

オリジナルの大きなワンタン

三多麺食

三多麵食 サンドーミンセッ

中環 MAP 付録P.13 D-3

ヘルシーなおいしさで人気の麺専門店で、人気のエビと豚肉が入ったワンタンをはじめ、オリジナルのワンタンが人気で、ラー油も手作りというこだわりの店。

☎2801-6352 交Ⓜ中環駅D2出口から徒歩5分 所砵典乍街30号地下 営9:00～20:30(土曜は～18:00) 休日曜、祝日 E E

菜肉雲呑麺 HK$45
白菜、豚肉、パクチーが詰まったオリジナルのワンタンもおいしい

↑約半数が常連客という地元に愛されている店

ボリューム満点!
Claypot Rice
飯

香港の冬に欠かせない土鍋ご飯。アツアツのご飯をおこげまでほおばろう。

おこげを取り出す技を研究 煲仔飯に新風を吹き込んだ

新スタイルの煲仔飯
新銓滿記餐庁小厨
新銓滿記餐廳小廚
チュンムンゲイツァンテンシウチュー

旺角 MAP 付録P.9 A-3

煲仔飯のおこげを土鍋から取り出すオリジナルパフォーマンスが人気。日替わりスープと野菜が付くので、定食感覚で楽しめる。冬場は予約がおすすめ。

☎6656-8878 交M旺角駅C3出口から徒歩3分 所新填地街419号万福大廈地下 営7:00(煲仔飯は17:30)~24:00 休無休
J J E E

金銀蒜粉絲開邊蝦煲仔飯 HK$94
ガーリック風味のエビと春雨の海鮮煲仔飯。旨みがご飯に染み込んでいる

黒松露窩蛋牛肉煲仔飯
トリュフ入りの高級メニュー。牛肉と生卵、トリュフをよく混ぜて味わおう HK$102

↑明るくフレンドリーな店員さんが接客してくれる

こちらもおすすめ
椒鹽鶏中翼 HK$98
塩、胡椒とガーリックが効いた手羽先揚げ。ビールのおつまみにぜひ

予約して訪れたい 香ばしいアツアツの土鍋飯

臘味排骨飯 HK$105
一口サイズのスペアリブと中華ソーセージ3種類がのっている

こちらもおすすめ

冬の風物詩、煲仔飯の名店
坤記煲仔小菜
坤記煲仔小菜 クァンゲイボゥチャイシウチョイ

西環 MAP 付録P.11 E-2

煲仔飯が地元民に評判で、冬場は長蛇の列ができる。土鍋のふたを開けた瞬間に広がる香りと湯気は格別。煲仔飯用ソースには日本の醤油を使用している。

☎2386-1618 交M西營盤駅B3出口から徒歩4分 所德輔道西268号地舗 営17:00~22:00 休無休 E E

椒監九肚魚 HK$100
白身魚の唐揚げ。下味がついているのでそのままでも美味

↑2人用から円卓テーブルまであり、広々としている

煲仔飯とカキ揚げ餅が名物
興記菜館
興記菜館 ヒンゲイチョイグン

油麻地 MAP 付録P.8 B-2

名物の煲仔飯はなんと約70種類をラインナップ。店内の壁にずらりとメニューが貼られ、食欲がそそられる。通りを挟んで6店舗あり、3代目が店を切り盛りする。

☎2384-3647 交M油麻地駅C出口から徒歩2分 所廟街14,15,19,21号 営17:30~翌1:00 休無休 J E E

咖喱牛腩煲仔飯 HK$90
牛腩(牛肩バラ肉)を土鍋ご飯で。スパイシーだが中辛程度

→ローカル色豊かな廟街の一角に店が点在

白鱔煲仔飯 HK$100
白ウナギの土鍋ご飯。ウナギがやわらかく、脂がご飯にも染みている

豊富なメニューに目移りしそう 専用ソースで味わおう

店ご自慢のスープに種類豊富な具をイン!

くせになるアツアツ火鍋3店

野菜に肉、つみれなど、種類豊富な具材を、薬膳などを使った各店こだわりのスープにくぐらせて味わう、香港版しゃぶしゃぶを体験。

なぜ香港で火鍋?

賑やかな食卓が大好きな香港の人々。具材も種類豊富で、大勢で鍋を囲むのに火鍋は最適。夏でも冷房を効かせて一年中食べられる。

MENU
鴛鴦鍋 HK$256(2人前)
マイルドな養生豆乳白鍋と激辛な十下麻辣火鍋の2つのスープで味わえる人気メニュー

口当たりなめらかな豆乳と麻辣のバランスが◎

How To Order 火鍋

火鍋はスープや具材、つけダレなどを好みでアレンジするのが一般的。

1 スープを選ぶ
仕切りのある鍋で2種類のスープを味わえる店が多い。数種類から、辛いスープと辛くないスープを選ぶのが定番。

2 具材を選ぶ
具材リストの食べたいものにチェックを入れて注文する。具材が最初から入っている鍋もあるので確認しよう。

3 タレを作る
にんにくやネギ、醤油、唐辛子など、用意された薬味ダレで好みの味を作ろう。タレは追加料金が必要な店もある。

スープが決め手の創作火鍋

十下火鍋

十下火鍋 Suppa サップハー
銅鑼湾 MAP 付録P.16 B-3

レトロ感あふれる火鍋専門店。海鮮や鶏肉などのスープを使った鍋の種類は豊富で、具材は90種類にも及ぶ。スープと具材を選んで自分好みの味にアレンジして食べられる。

☎3520-4111 交Ⓜ銅鑼灣駅C出口から徒歩5分 所登龍街28合永光中心2F 営12:30～16:00、17:30～翌0:30 休無休 J E E

←丸テーブルが並びカジュアル

唐辛子やにんにくなどのほか、日本では見慣れない薬味も

おすすめ具材

↓つみれなどの盛り合わせ六合彩HK$98

↑三宝団子の盛り合わせHK$138

↓ライスクレープの米漿腸粉HK$30

↓湯葉を素揚げした脆炸響鈴HK$54

定番の火鍋に飽きたらココ！

美味厨

美味廚 メイメーイチュー

湾仔 MAP 付録P.15 F-3

ヘルシーで厳選した食材を提供するカジュアルレストラン。火鍋では、カプチーノ風の火鍋スープ、マンゴー入りやベジタリアン向けの肉団子など、斬新なスープや具材も用意されている。

☎2866-8305 交M湾仔駅A3出口から徒歩6分 所湾仔道165-171号楽基中心5F 営12:00〜14:30、18:00〜23:00 休無休

スープや食材が個性的な健康オリジナル火鍋

MENU
冬蔭功Cappuccino湯底HK$238
トムヤムクンベースに泡立てたココナッツミルクをのせ、ココアをかけたスープ

←気軽に入りやすい

ゴマやチリペースト、揚げにんにくなどタレの材料は10種類用意

おすすめ具材

→ウズラの卵入り鶏つくねの手打鶏肉鵪鶉蛋丸HK$98

←鴨肉入り餃子の北京填鴨餃HK$118

→野菜盛り合わせHK$198(4人前)

魚介に牛肉、高級食材を贅沢に味わう

火鍋本色

火鍋本色 フォーウォーブンセッ

北角 MAP 付録P.5 E-3

長年愛されていた登龍街から移転した火鍋料理専門店。海鮮、漢方など20種類以上のスープとカニやロブスター、牛肉など高級食材を使ったメニューが人気だが、自家製の練り物などもおいしいと評判。

☎2337-9668 交M北角駅から徒歩3分 所北角円拿道18号愛群商業中心地下3-5号舗 営11:30〜15:00、18:00〜24:00 休無休

野菜ベースのスープが具材をやさしく包み込む

おすすめ具材

黒豚、エビなど4種類の団子、金牌四宝丸HK$108

高級なアンガスビーフ、本色極品手切牛HK$398

MENU
黄金海鮮湯HK$298
カニ、エビ、アワビなどの海鮮を冬瓜とニンジンベースのスープでいただく

←日替わりの新鮮なシーフードが食べられる

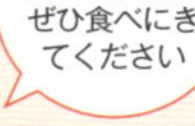

当店で有名な黄金海鮮湯をぜひ食べにきてください

ラー油、サテーソース、フライドガーリックなどで好みの味付けを

ヘルシーだけど満足感たっぷりがうれしい

創意工夫がきらめく素食3店

見た目にはわからない、一切肉を使用しないヘルシーグルメは、健康志向が高い人の間で注目されている。物足りなさを感じさせない、工夫を凝らしたメニューの数々をぜひ味わいたい。

素食とは…

肉を使わない野菜のみを使った料理。精進料理もこのひとつで、殺傷を嫌う仏教徒、道教徒にとっての食事だったが、健康志向の高まりから一般の人の間にも広まっていった。ヴィーガンとは完全素食を意味する。

広東風茶室を彷彿

楽茶軒

素食 ベジタリアン

樂茶軒 LOCKCHA ロッツァーヒン

金鐘 MAP 付録P.14 A-3

香り高い中国茶とベジタリアン点心で文化的に食事を楽しめる茶芸館。1844年から1846年の間に建てられた香港最古の西洋式建造物のひとつで、1978年までは駐英軍総司令官の官邸として使われていた。

☎2801-7177 交Ⓜ金鐘駅C１出口から徒歩7分 所金鐘紅棉道 10 号香港公園羅桂祥茶藝館地下 営10:00～20:00(LO19:00) 休第2火曜

ベジタリアン点心と豊富な中国茶を楽しむ

建物の中には中国茶の歴史について学べるギャラリーや茶具博物館も

中国6大茶セット HK$138(緑茶、青茶、紅茶、白茶、黄茶、黒茶)

MENU

香菇豉油皇炒麵

HK$38

野菜とキノコの焼きそば。シンプルな醤油の味付け。小さいサイズなので点心の締めにもいい

MENU

香菇梅菜斑蘭餃

HK$40

キノコと菜葉の蒸し餃子。東南アジアに自生するパンダンを使って緑色に

茉莉花茶湯圓 HK$38。黒ゴマペーストの入った団子をジャスミン茶と合わせたもの

体にやさしいを追求するカフェ

マヤ ベーカリー&バー

maya BAKERY & BAR

鰂魚 MAP付録P.5 E-4

2023年2月創業。自社で製造しているヴィーガン向け商品を多数提供する。ビジネス街のため、日中は近隣の健康志向のビジネスパーソンで賑わい、夜はハッピーアワーもありバーとしても人気が高い。

☎6695-9656 交Ⓜ鰂魚駅から徒歩8分 所涌英皇道979号太古坊電訊盈科中心地下4号舗 営8:00～20:00 土曜は11:00～19:00 休日曜

動物性食品を使わない 地球にもやさしいメニューが揃う

素食 ベジタリアン

MENU
クラシックエッグタルト
HK$18
同店の人気ナンバーワンメニュー。卵と牛乳は不使用なのに、カスタードのような風味が感じられる

母になったことをきっかけに健康志向になった創業者が営む

MENU
ピスタチオクロワッサン
HK$26
ピスタチオのクリームシーズニングがかかったクロワッサン。乳製品は不使用

➡ピスタチオラテHK$50。オーツミルクを使用したさわやかな味わい

⬅自家製サンドイッチHK$68。きのこのソテーとクリームチーズ(乳製品不使用)入り

⬅バナナとイチゴのナチュラルな味わいのパワーベリーHK$68

上海精進料理の老舗

功徳林上海素食

素食 精進料理

功徳林上海素食
Kung Tak Lam Shanghai Vegetarian Cuisine クンタクラム シャンハイ ベジタリアン キュイジーヌ

尖沙咀 MAP付録P.6 B-3

香港で20年以上の歴史を持つ上海精進料理店。上海料理の伝統と高品質なベジタリアン食材を組み合わせ、しかもボリュームも満点のメニューが並ぶ。

☎2312-7800 交Ⓜ尖沙咀駅L4出口から徒歩5分 所北京道1号7F 営11:00～23:00 休無休

中国伝統の素食 ボリュームも満点

MENU
千手如意巻 HK$118
海苔を使った、たけのこときのこの揚げ春巻。キノコのあんかけを添えたピリ辛料理

MENU
半肚菌扒鱈魚 HK$128
豆腐を使ってタラを揚げたものに高級きのこ・アミガサ茸のあんがかかる

MENU
豆腐餃子
HK$138
野菜スープ、大豆ミート、野菜などのあんを豆腐で包んだ餃子

➡ハーバー沿いで眺望抜群

早い、安い、おいしいの三拍子☆

朝・昼・晩。おやつもやっぱり茶餐庁 3 店

喫茶店と大衆レストランをミックスさせたような香港ならではの茶餐庁。メニューが豊富で、なにより値段が手ごろ。香港に来たなら外せないスポットだ。

知っておきたい茶餐庁の基本

早朝から深夜まで営業している、地元民御用達のカフェレストラン。日本のファミリーレストランのような存在で、香港の食文化を体感できる。

相席は当たり前!

混み合う昼どきなど、1～2人客は相席になることが多い。また、手厚い接客は期待できないので、勇気を出して挑戦しよう。空いている席があれば遠慮なく座ってOK。お昼どきは誰もがすごい勢いでごはんを食べ、あっという間に出ていくスタイル。長居はせず、食べたらさっと店を出よう。会計は伝票を持ってレジへ。

「最低消費」とは?

単価が安い茶餐庁。店内の壁やメニューに「最低消費」と記載がある店では、1人あたりの最低消費金額が決まっており、最低金額●HK$までは注文してということ。「毎位」は1人あたりを意味する。

ティータイムがお得に!

14:00～18:00のティータイム(下午茶)になると、メニュー料金が安くなる店も。ランチタイムを少しずらして行けば、混雑も避けられて一石二鳥に。

メニューを攻略しよう

メニューが多い茶餐庁で、迷ったときに知っておきたいメニューをご紹介。

- 早餐(ゾウチャーン)
  →モーニングセット
- 午餐(ンチャーン)
  →ランチセット。日替わりメニューなどもある。
- 下午餐(ハンーチャ)
  →アフタヌーンティーメニュー。割引がある店も。
- 常餐(ソンチャーン)
  →終日オーダーできるレギュラーメニュー

↑炸雞髀沙律。一晩寝かせてから揚げたチキンレッグ

→奶茶紅豆冰。小豆入りアイスミルクティー

→香港式ミルクティー、熱奶茶。器もかわいい

↓雞批浮台。チキンパイとグリーンピーススープの組み合わせ

↑ゴマペーストに練乳をかけたモノクロトースト、黒白多士

→夜のメニュー、賓墟雑扒。お肉やソーセージの盛り合わせ

SNS映えする懐かしい内装

喜喜冰室

喜喜冰室 ヘイヘイビンサッ

銅鑼湾 MAP 付録P.16 C-2

茶餐庁の前身ともいえる氷室に子どもの頃から親しんできたオーナーが、レトロな雰囲気の氷室を再現。店内には昔の流行歌が流れ、英国統治時代の机や赤いミニバスの席が設けられるなど懐かしさいっぱい。メニューは茶餐庁の定番のほか、オリジナルが多い。

☎2868-0363 交M銅鑼湾駅E出口から徒歩5分 所百徳新街57号地下C及D舗 営8:00～23:00 休無休

HK$88

↑炸雞髀美極西炒飯。カリカリのチキンとピラフ

←ソファ席は香港で有名なミニバスがモチーフ

レトロモダンな軽食喫茶

十字冰室

十字冰室 サップチーピンサッ

西環 MAP 付録P.11 E-2

外国人観光客向けのバーやレストランが点在する高街にありながら、レトロな店構えで、香港のローカルフードや老舗牛乳ブランド・十字牌を使ったドリンクやスイーツが味わえる。食事メニューもあるが、十字牌の牛乳を使ったミルクティーやプリンが人気。

☎2887-1315 交Ⓜ西營盤駅B2出口から徒歩5分 所高街48-78号 恒陞大楼地下12号舗 営7:30〜18:00 休無休

↑フレンドリーなスタッフが応対してくれるローカル感が魅力

→皇牌餐。牛肉とマカロニたっぷりのトマトスープとトーストのセット

→十字牌の牛乳を使った小豆が入ったアイスミルクティー

↓パイナップルパンにスクランブルエッグをサンド

→スタッフおすすめのポークチョップとフライドライス

↑炸鮮奶。練乳入りコロッケ風スイーツ

メニュー250種類の超人気店

金華氷庁

金華冰廳 Kam Wah Cafe

ガムワーピンテン

太子 MAP 付録P.9 B-2

パイナップルパン(香港式メロンパン)にバターを挟んだ「菠蘿油」の有名店。観光客はもちろんのこと、地元民も足繁く通う老舗の茶餐庁。現在は隣合わせの2店舗で営業しているがピーク時は行列ができることもしばしば。

☎2392-6830 交Ⓜ太子駅B2出口から徒歩5分 所太子弼街47号地舗 営6:30〜22:00(LO21:30) 休無休 E

↑昔ながらのボックスシートもあり、混雑時は相席となる

↓干炒牛河。地元民に人気の「モヤシとネギ、黄ニラのきしめん焼そば

↑阿華田雪山。オバルチン(麦芽飲料)に5種類の麦芽をのせたドリンク

→濃厚でなめらかな香港式ミルクティー

←鶏もも肉、玉ネギ、ジャガイモの入った香港式カレー

↑豬扒菠蘿包。パイナップルパンにポークチョップと野菜をサンドした一品

オールド香港を感じるレトロな空間

ノスタルジック 香港喫茶4店

開発が進む香港の街中に点在する、戦後のたたずまいを残す喫茶店や、かつての面影を再現したノスタルジックなカフェ。都会の喧騒を忘れて、昔ながらの雰囲気とメニューを楽しみたい。

香港カフェ「氷室」って何?

1960～70年代に香港で流行した純喫茶。ドリンク、サンドイッチなどの洋風軽食が人気だったが、時代の移り変わりとともに多彩なメニューを提供する茶餐庁が台頭し、店は徐々に減っていった。最近は懐古ブームもあり、レトロな雰囲気の店が人気に。

1949年創業の老舗

美都餐室

美都餐室 メイドウチャンサッ

油麻地 MAP 付録P.8 B-2

茶餐庁が一般的になる以前からご飯ものをはじめとするさまざまなメニューを提供。名物料理は錦鹵雲呑で、揚げたワンタンの皮を甘酸っぱいソースでいただく。昔からほとんど変わることのないモダンな内装も人気。

☎2384-6402 交Ⓜ油麻地駅C出口から徒歩3分 所廟街63号 営9:00～20:30 休水曜

E E

➡戦後、油麻地に創業。世代を超えて人々に親しまれている

映画にもたびたび登場 長く愛される有名店

⬆ステンドグラスのようなカラフルな窓、モザイクタイルの壁や床に注目

西多士 HK$32

トーストにシロップとバターをたっぷりかけて。15時のティータイムの定番

紅荳氷 HK$32

小豆とミルク、クラッシュした氷を混ぜた懐かしい味

熱鴛鴦 HK$22

コーヒーとミルクティーをミックスさせた香港の名物ドリンク

錦鹵雲呑 HK$128

揚げワンタン。ソースは鶏肉、豚のホルモン、イカ、ベールペッパー入り

アレンジを加えた茶餐庁

大和堂

Tai Wo Tang Cafe
タイ ウォ タンカフェ

黄大仙 MAP 付録P.5 D-1

約１世紀前に建てられた歴史ある中医薬局をリノベーションしたカフェ。百子櫃と呼ばれる漢方薬などを入れる薬棚をはじめ、当時使われていたインテリアがそのまま残るレトロな雰囲気。

☎2632-2006 交Ⓜ宋皇臺駅Ｂ２出口から徒歩4分 所九龍城衙前塱道24号地下 営8:00～18:00(LO17:00) 休無休 J E E

雞蛋仔與雞 HK$138
香港式ベビーカステラの上にフライドチキンをのせたもの

大和堂拿鐵珈琲 HK$48
カフェラテをアールグレイで割った鴛鴦スタイルのラテ

中国と西洋の文化が融合

茶咖里

茶咖里 チャガーレー

西環 MAP 付録P.11 E-2

ボックスシートやタイルの床が氷室を彷彿させる店内には、1980～90年代の香港映画のポスターなどが貼られ地元の文化にふれられる。注文は携帯でオーダーする仕組み。コーヒーは全10種類。

☎2915-8885 交Ⓜ西營盤駅Ｂ２出口から徒歩1分 所蔘核里4号地舖 営8:00～18:00 休月曜 E E

叉焼炒滑蛋飯 HK$56
一番人気＆店の看板メニュー、スクランブルエッグチャーシュー飯

鮮奶咖啡 HK$28
カフェラテ。よく氷室で使われるレトロなデザインの器を使って提供する

定番が揃う茶餐庁

華星氷室

華星氷室 ワーシェンビンサ

湾仔 MAP 付録P.15 F-3

店内は1980年代風を基調としたデザインで、地元のアーティストのポスターがびっしりと貼られている。看板メニューかつ香港の朝食に欠かせないトーストはぜひいただきたい。

☎2666-7766 交Ⓜ灣仔駅Ａ２出口から徒歩6分 所湾仔克街6号広生行大廈地下B1号舗 営7:00～21:00 休無休

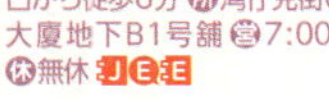

紅豆冰 HK$34
小豆ペーストにミルクと氷を入れた日本人好みのドリンク

黒松露炒蛋多士 HK$56
トリュフをかけたスクランブルエッグをトーストにのせたもの

色鮮やかな花と緑と過ごすひととき

癒やしの空間 ボタニカルカフェ 3 店

アーティスティックなボタニカルカフェには、ネオンきらめくストリートとは一線を画す落ち着いた空間が広がっている。花や緑を眺めながら各店こだわりのメニューに舌鼓。

街なかに存在するオアシス

マムズ・ノット・ホーム

媽不在家 Mum's Not Home

油麻地 MAP 付録P.8 B-2

香港で生まれ育ったアーティストクリエイターのMakuiさんとChowさんが運営する超個性派カフェ兼マルチスペース。「唐樓」と呼ばれるエレベーターがない昔ながらの雑居ビルの1階(日本でいう2階)に隠れ家のように存在している。

☎9770-5760 交M油麻地駅C出口から徒歩4分 所上海街302号1楼 営14:00〜19:00 休火・水曜 E E

1.ビルの外観からは想像できない明るくカラフルでボタニカルな空間 2.カフェスペースに隣接しているコーナースペースではグッズも展示販売している 3.アートクリエイターのMakuiさんとChowさん 4.シトラスパラダイスフルーツソーダ HK$50

SNS映え間違いなしの彩り豊かなお茶と料理

食事、お花とお茶で心を調えて

エスピー センシズ

SP senses

尖沙咀 MAP 付録P.7 E-3

創業者兼ブランドクリエイティブディレクターが手がけた店内は、花や植物、水彩画が飾られナチュラルな雰囲気。注文を受けてから作る種類豊富なお茶や、厳選素材で作った栄養豊かなメニューが至福の時間を約束してくれる。

☎2789-3339 交Ⓜ尖東駅P1出口から徒歩3分 所麼地道66号尖沙咀中心地下G64-66号舖 営9:30~21:30 休無休 E E (土・日曜は望ましい)

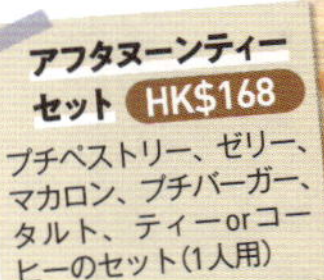

アフタヌーンティーセット HK$168

プチペストリー、ゼリー、マカロン、プチバーガー、タルト、ティーorコーヒーのセット(1人用)

餅入りイチゴワッフル HK$128

酸味のあるイチゴと甘いワッフルをあわせたトッピングのバラが華やかなデザート

1.お茶はもちろん、デザイナーとコラボしたアクセサリーや雑貨などが並ぶギフトコーナー 2.花のようなケーキが素敵。料理もデザートもヘルシー 3.ナチュラルカラーで統一された清潔感あふれる明るい店内。一部店内にはハーバービューの席も

菜食メニューを楽しむリラックス空間

健康志向のベジタリアンカフェ

オヴォ・カフェ

Ovo Cafe

湾仔 MAP 付録P.15 E-4

エコで健康的なライフスタイルを提案する、緑いっぱいのカフェ。植物を眺めながら、新鮮な野菜をたっぷり使った菜食メニューが味わえる。地ビールやワインもあり。自家製ワッフルはランチタイム終了後のメニュー。

☎6511-4051 交Ⓜ灣仔駅A3出口から徒歩8分 所灣仔道1号地下 営11:30~21:30 休無休 E E

バナナチョコレートワッフルアイスクリーム添え HK$68

温かいワッフルと冷たいバナナ、アイスが抜群に合う

1.花屋が併設され、カフェの店内にも植物がたくさん飾られている 2.ボリュームたっぷりのサラダや、菜食では珍しい刀削麺を使ったタイ風パスタ 3.ラテアートもおしゃれ 4.グリーンライフを提案する店。花や観葉植物も販売している

こだわりが光る洗練された空間で特別な一杯を

ブランドコラボカフェ3店

ブランドのエスプリが反映された内装やメニューに心ときめく!
有名ブランドが展開するおしゃれなカフェに出かけてみよう。

重厚感のある店内でくつろいで

店内で焙煎するコーヒーは濃厚でなめらかな味わい

人気ブランド・カフェのアジア1号店

ラルフズ・コーヒー

Ralph's Coffee
中環 MAP 付録P.13 E-3

アメリカン・トラッドの象徴、ラルフ・ローレンのカフェ。濃厚なオーガニックコーヒーをはじめ、オリジナルアメリカンブレックファストやデザートを提供。

☎2325-4473 交M中環駅F出口から徒歩4分 所遮打道10号置地太子M楼M12-16号舗 営8:00～19:30、土・日曜、祝日10:30～19:00 休無休 E

クマのマスコットデザインのタンブラーHK$350は数量限定アイテム

ラルフオリジナルのチョコレートはシーソルト味が人気

マグやTシャツなど、オリジナル商品も販売

ラルフオリジナルブレンドHK$40。テイクアウトも可能

濃厚でボリューミーなチョコレートケーキ

ラテHK$40。オリジナルブレンドのほかマキアートやモカなど種類も豊富

洗練された空間で美しいカフェメニューを

フランス文化を発信

アニエスベー・カフェ

Agnes b Cafe

中環 MAP 付録P.13 E-2

アパレルショップとフラワーショップが併設された、フランスの有名ブランド"アニエスベー"の複合型カフェ。ケーキに使用する材料はフランスをはじめヨーロッパ各地から取り寄せている。

☎2769-3200 交Ⓜ中環駅直結、ifcモール内3階 所中環国際金融中心二期３楼3002-3005店 営10:00～20:00 休無休 E E カード

マロンのムースケーキHK$56

↑シンボルである手書きのモチーフやおしゃれな観葉植物

↑美しいパッケージのチョコレートが並ぶショーウインドー

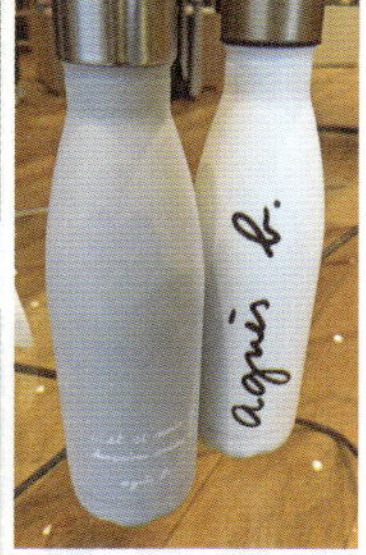

↑香港オリジナルデザインも揃えるタンブラーHK$350

↓ルパンラビットHK$490。レアなオリジナルキャラクターのアイテム

数種類の板チョコのアソートセットHK$290

↑看板メニューのローズカフェオレHK$55

オーブのブランドロゴがあしらわれた食器も素敵

ヴィヴィアン・ウエストウッド・カフェ

Vivienne Westwood Café

銅鑼湾 MAP 付録P.16 C-2

イギリス・パンクファッションの先駆者、ヴィヴィアン・ウエストウッドの世界観を反映。「ティールーム」をコンセプトにした美術館のような店内で、伝統のアフタヌーンティーを楽しむことができる。

☎2799-5011 交Ⓜ銅鑼灣駅E出口から徒歩3分 所百徳新街27-47号ファッションウォーク1/F, ShopF-8 営11:00～21:00(金・土曜は～22:00) 休無休 E E 予 カード

伝統と未来が融合した独自の世界観を堪能

←ヴィヴィアンのお気に入り、ロンドン博物館の絵画の模様の壁紙

↑入口には逆行時計が飾られている

→ワッフルパンケーキHK$98。軽食やデザートは季節ごとに変更あり

アフタヌーンティーもおすすめ!

超絶キュートなデザインに胸キュン♥

かわいすぎる映えスイーツ4店

**めまぐるしく進化を遂げる香港のカフェ事情。
個性を生かしたインテリアと、カラフルでかわいいケーキやドリンクが次々と登場して話題沸騰中!**

おすすめメニュー

ハンドクラフトジェラートローズ
HK$50~78
ジェラートは常時10種類のフレーバーの中から1~3種類を選ぶことができる

国内外から大人気

バリスタ・バイ・ジブレ

Barista By Givrés

上環 MAP 付録P.12 C-3

「健康に良く、かわいく」をコンセプトに、花柄のジェラートや自家製のブラウニー、サンドイッチなどを用意。日本のテレビ局から取材依頼がくるほど、アジア圏でも人気のカフェであり、中国本土や日本、韓国からも観光客が多く訪れている。

☎2697-0728 交Ⓜ中環駅B2出口から徒歩10分 所士丹頓街7号 営8:00~18:00 休不定休 E E

↑濃厚な自家製ブラウニーと好きなフレーバーのジェラートを選べる。HK$75

↑カラフルなジェラートはすべて天然の着色料を使用

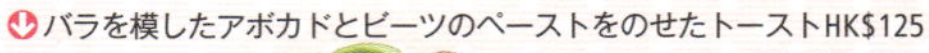

↓バラを模したアボカドとビーツのペーストをのせたトーストHK$125

見て、食べて楽しい

ツイスト&バックル

Twist & Buckle

尖沙咀 MAP 付録P.7 D-3

2023年度よりミシュランを獲得している名店。チュロスといえばテーマパークで食べるものと思われていた香港内でも、その見た目のかわいさとおいしさから大人気に。現在ノースポイントに2号店をオープン。

☎2758-6162 交Ⓜ尖東駅P3出口から徒歩3分 所尖沙咀漆咸道南29-31号 営12:00〜22:30(金・土曜は〜23:00) 休無休 E E

↑マシュマロHK$40。チュロスにマシュマロをかけて炙ったもの

↑カウンター席からはチュロスが作られる様子がよく見える

おすすめメニュー

ムービーナイト2.0

HK$68

イチゴチョコのグレーズにカラフルなカラースプレーをかけたスペシャルサンデーチュロス

↑マンゴーとパッションフルーツのミルクシェイクHK$50

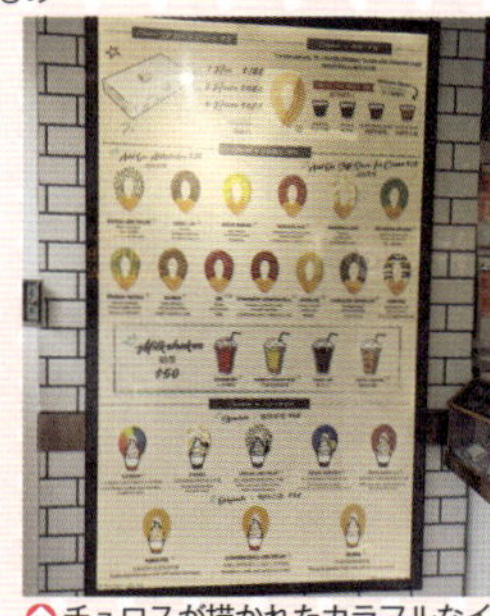

↑チュロスが描かれたカラフルなイラストのメニューがかわいらしい

香港の有名美術館に併設

キュレーター・クリエイティブ・カフェ・アット・エムプラス

Curator Creative Café at M+

西九龍 MAP 付録P.19 B-4

アジア最大級の視覚文化施設であるエムプラスミュージアムの地下階にあるカフェ。時期によってはミュージアムの企画展に合わせたスイーツなども。

☎6999-2008 交Ⓜ九龍駅C1出口から徒歩10分 所エムプラス(→P.38)B1 営10:00〜20:00 休無休 E E

おすすめメニュー

アーティストプリントコーヒーHK$98

ドリンクにアート作品がプリントされた人気商品

←クロワッサンウィール各HK$58(上からチョコレートとピスタチオ)

旬の果物をたっぷり使った色鮮やかなケーキ

ライフタスティック・パティスリー

Lifetastic Patisserie

尖沙咀 MAP 付録P.6 C-2

「Life is Fantastic」をコンセプトに、人々を楽しませるケーキを生み出すオーストラリア人がオーナーのパティスリー。多層構造のレイヤーケーキが看板メニュー。旬の果物を使った季節限定のケーキも豊富。

☎2564-8533 交Ⓜ尖沙咀駅B1出口から徒歩2分 所彌敦道100号The ONE L4 L406号舗 営12:00〜23:00 休無休 E E

おすすめメニュー

招牌草莓西瓜蛋糕

HK$78

厚さ1.5㎝もあるスイカが挟まれた看板のスイカとイチゴのケーキ。さっぱりした甘さで人気

←スイカとイチゴのスムージーHK$58

↓ゴールドとロイヤルブルーでまとめ高級感を演出

見た目も味も本格派! 珈琲屋さんの芸術作品たち

ラテアートが人気の店 5 店

洗練されたカフェで楽しむ本格コーヒーや素敵なラテアート。デザートや軽食もおいしくて、ついつい長居してしまいそう。

←美しいラテアートは必見! 見た目だけでなく味も間違いなし

→バリスタが毎朝、豆の挽き具合、淹れ方を調節している

コーヒーもパンもこだわり満載

エレファント・グラウンズ

Elephant Grounds

銅鑼湾 MAP 付録P.16 C-2

ほかとは一線を画す完璧なコーヒーを追求しようと、2人の起業家がオープン。豆の調達から焙煎、テイスティングまで一貫して自社で手がけ完璧な一杯を作り出している。アイスクリームも評判。

☎2562-8688 交Ⓜ銅鑼湾駅E出口から徒歩3分 所百徳新街42-48号地下C舗 営10:00～22:00(土・日曜は～22:00) 休無休

↑土・日曜ブランチタイムのサーモンエッグベネディクト。パンも自家製

香港と日本の文化の融合

ミリグラム・コーヒー 香港

Milligram Coffee HK

上環 MAP 付録P.12 C-2

2022年開業。日本好きのオーナーにより日本の古民家風にリノベーションされたカフェ。食材や器、BGMまで日本のものを使うというこだわり。

☎なし 交Ⓜ上環駅A2出口から徒歩5分 所中環威靈頓街174-178号地下A号舗 営9:00(日曜10:30)～18:00 休無休

↑弁当箱HK$158。重箱を器にしたブレックファストスタイルの軽食

Good Taste!

↑抹茶ラテHK$50。京都産の抹茶を使ったビターな味わいのラテ

↓竹炭パウダーとコーヒーを使ったブラックラテHK$50

↑チャイラテHK$42

Good Taste!

↑スロークックチキンフォカッチャサンドHK$84

↓清潔感あふれるシンプルなインテリア

瞑やかな旺角の街角でひと休み

パース・イット

Pause it

旺角 MAP 付録P.9 B-3

「ちょっと止まる」という店名どおり、街なかにありながらゆっくりとひと息つける。素敵なアートのラテをはじめ、コーヒー約17種、ハンドドリップコーヒー約5種など種類が豊富。

☎2348-2138 交Ⓜ旺角駅E2出口から徒歩6分 所奶路臣街17号The Forest地下G11号舗 営8:00(土・日曜、祝日9:00)～22:00 休無休

E E

オーナーのコレクションカップで味わうコーヒー

半路咖啡

半路咖啡 Halfway Coffee

ブンローガーフェ

上環 MAP 付録P.12 B-2

世界中から集めたカップ500個以上を展示し、その器でコーヒーを提供。ボリューミーな軽食や自家製ドライフルーツ付きのデザートもある。

☎2606-1160 交Ⓜ上環駅A2出口から徒歩7分 所摩羅上街26号地下 営8:00～18:00 休無休

J E E

↑自家製の甘酸っぱいレモンタルトHK$88

Good Taste!

ドイツの教会の椅子など、家具も店主が集めたもの

↑シノワテイストのカップでいただくラテHK$45

↑テイクアウトカップも中国らしい絵柄でおしゃれ

香港エスプレッソバーの先駆者

ココ・エスプレッソ

CoCo Espresso

上環 MAP 付録P.12 C-2

コーヒー豆を海外農場から直接仕入れて自家焙煎する、本格派エスプレッソバー。こだわりのコーヒーをじっくり味わって。

☎2542-2228 交Ⓜ上環駅A2／E2出口から徒歩4分 所蘇杭街13-15号 営8:00～18:00 土・日曜、祝日9:00～18:00 休無休

E E

Good Taste!

↑ブルーベリーチーズケーキHK$48

→ボトル入りのコールドブリュースタンリー330mℓ HK$52

←コーヒー愛好家も満足するラテHK$48

オランダ製エスプレッソマシンが置かれた店内

→元ホテル料理長が作るケーキ。常時6種類を用意

香港スイーツの大定番! 自然な甘みにうっとり

I♥甜品(ティンバン) 愛されヘルシースイーツ9店

南国フルーツの盛り合わせ、プリン、ゼリーから、糖水をはじめとする伝統的なデザートまで、素材の甘さを生かした、ヘルシーなスイーツが勢揃い。

フルーツ系

新鮮なフルーツがてんこ盛り。代表格はマンゴープリン

Fresh Sweets

MENU
士多啤梨豆腐花
HK$42
酸味のあるイチゴのシャーベットを甘い豆腐にのせたもの

MENU
芒果奶昔雙皮奶
HK$46
カスタードクリームにマンゴーのシャーベットとマンゴーの果肉をのせたもの

MENU
龍眼椰果冰
HK$46
アジアではポピュラーな龍眼を使ったシャーベット

日本では見ないフルーツも

聰。C Dessert

聰。C Dessert シーデザート

湾仔 MAP付録P.15 D-3

シャーベットを中心に香港で親しまれている伝統的なスイーツメニューを取り揃えている。ウッドテイストで小さな店内は夜は混雑するため日中に訪れるのがおすすめ。

☎2493-3349 交Ⓜ灣仔駅B2出口から徒歩5分 所莊士敦道35-45号利文樓地下1D号舗 営13:00～23:00(金・土曜、祝前日は～24:00) 休無休 E 英 カード

↑店内は20席ほど

→白い壁に大きなネオンの看板が目印

伝統的な香港のデザート

晶晶甜品

晶晶甜品 チェンチェンデザート

湾仔 MAP付録P.15 E-4

伝統的な香港スタイルの甜品を取り扱い、なかでも牛乳を使ったシェイブアイスが看板商品。ローカルフードを求めて、多くの観光客も訪れる。

☎2578-6162 交Ⓜ灣仔駅A3出口から徒歩5分 所灣仔道8号尚翹峰地下A1号舗 営13:00～23:00 休不定休(FaceBook要確認) E 英

↑天井に飾られた、店名を模した照明がかわいらしい

MENU
楊枝甘露涼粉
HK$49
マンゴーのミルクシェイクにサゴとグレープフルーツ、仙草ゼリーが入ったもの

MENU
芒果雪紋奶冰
HK$50
牛乳を使ったシェイブアイスにマンゴーをトッピングしたもの

←玫瑰酒薑汁湯圓玫瑰露酒餡HK$39。温かいしょうがのスープに団子が入ったもの

地元民のお墨付き

浩記甜品

浩記甜品 Ho Kee Dessert
ホーキーデザート

土瓜湾 MAP 付録P.5 D-2

ミシュランにも選ばれた、創業30年以上の有名なデザート店。すべて店内で作られており、地元民に愛されているほか中国本土や日本からも観光客が。

☎9195-1017 交Ⓜ土瓜灣駅B出口から徒歩7分 所土瓜湾道237号A号111号 怡豐大廈B座 営13:00～23:30(金・土曜は～24:00) 休無休

↑10テーブルしかない店内は落ち着いた雰囲気

MENU
椰汁紫米露
HK$33
紫色の米を小豆のように甘く炊いたものとマンゴーを混ぜたもの

↑牛乳プリンにマンゴーを乗せた芒果蛋白燉鮮奶HK$43

MENU
生磨芝麻糊
HK$27
香港の伝統的な黒ゴマペーストのスープ。ねっとりとした食感

MENU
雪曲幻彩明珠
HK$53
フルーツの酸味にココナッツジュースの甘みがマッチ

種類豊富なメニューの数々

松記糖水店

松記糖水店 チョンゲイトンソイディム

佐敦 MAP 付録P.6 B-1

香港に12店舗を構える有名店。果物を使ったデザートや伝統的な糖水などメニューに書かれているだけでその数215種類！人気商品は写真付きで紹介されており、その中から選ぶのがおすすめ。

☎2736-7895 交Ⓜ佐敦駅C2出口から徒歩2分 所白加士街23号地下 営12:00～翌1:00 休無休
E E

↑清潔感のある店内

MENU
雪芒楊枝甘露
HK$54
マンゴーづくし、タピオカも入った一番人気メニュー

←甘さ控えめ黒ゴマ餡が入った黒ゴマ&クルミのしるこ

フルーツの旬を知る

香港は世界中から新鮮なフルーツが集まる、トロピカルフルーツの宝庫。5～8月に旬を迎える代表格のマンゴーをはじめ、日本では珍しい果物がいっぱい。

伝統系

糖水(おしるこ)や亀ゼリーなど
ほっこりした甘みが人気

Traditional Sweets

MENU
白雪仙草芋圓 HK$50
薬膳ゼリーや芋の団子、ハトムギなどがトッピングされたヘルシースイーツ

香港の伝統スイーツも健在

満記甜品

満記甜品 ムンゲイティンバン

上環 MAP 付録P.12 B-1

仲良し5人組の女性が創業した甘味処。フルーツを使った定番のスイーツから、日本ではあまり見かけない素材を使ったおしるこなど、香港の伝統的なデザートまで幅広いラインナップ。

☎2851-2606 交Ⓜ上環駅B出口から徒歩5分 所徳輔道中323号西港城地下4-8号舗 営12:00～23:00 休無休
J E E

↑ウエスタン・マーケットにある

MENU
芝麻糊湯圓
HK$45
濃厚な香りの黒ゴマペーストに白玉を入れた冷たいデザート

MENU
榴槤忘返 HK$57
ドリアンと黒うるち米をバニラソースでいただく

MENU
薑汁桃膠銀耳芋圓
HK$45
しょうが汁にゼリーや白玉を入れた伝統的なデザート

MENU
杏仁蛋白 HK$46
アーモンドと卵白のシンプルなデザート。なめらかな口あたりが特徴

お客が絶えない人気店

福元湯圓

福元湯圓 フックユントンユン

北角 MAP 付録P.18 A-3

伝統的な糖水がいただける、家庭的なデザート屋。店の奥で作る白玉は真珠のようにつるつるで、体に染み込んでいく。常に行列が絶えず、店の前のベンチで食べる客もいるほど。

☎3106-0129 交Ⓜ炮台山駅B出口から徒歩2分 所福元街7号利都楼地下I-1舗 営16:00～24:00 休無休

↑12席のみで、すぐに満席になる

MENU
鴛鴦湯圓(糖薑水五粒)
HK$30
黒ゴマ餡とピーナッツ餡入り白玉の、大人気糖水

MENU
果皮蓮子百合紅豆沙＋湯圓
HK$33
つぶ餡たっぷりながらほどよい甘さ。小豆好きは必食!

MENU
什果西米露
HK$38
フルーツが山盛りでどれから食べるか迷ってしまう

クルミのしるこが名物

海記合桃坊甜品

海記合桃坊甜品 ホイゲイハットウフォンティンバン

太子 MAP 付録P.9 A-2

店名にもある、合桃(クルミ)を使ったしること黒ゴマのしるこからスタート。現在は女性の間で人気に火がついた、紫芋を使ったデザート10種類も提供。店はゆとりのある広さ。

☎2392-0233 交Ⓜ太子駅B2出口から徒歩2分 所西洋菜南街212号 営14:00〜24:00 休無休 E E

←週末は混むが比較的広くゆったりできる

MENU
沙沙合桃糊
HK$35
濃厚なクルミのしるこに砕いたクルミをトッピング

MENU
紫芋芋圓紫米露 HK$43
紫芋アイス入りサゴと芋団子の素材の甘さが特徴のデザート

MENU
水丸子遇上芒果
HK$50
マンゴーアイスを囲むようにポメロや白玉が入る

長年愛される老舗店

緑林甜品

緑林甜品Luk Lam Dessert
ルック ラム ティンバン

深水埗 MAP 付録P19 B-2

創業40周年を迎えるデザート店。すべてメニューは店内のキッチンで手作りしている。果物は新鮮なものを使用するこだわり。

☎2361-4205 交Ⓜ深水埗駅D2出口から徒歩5分 所77 元州街 深水埗 営14:00〜24:00 休無休 E E

↑緑の看板が目印

MENU
芋圓仙草地瓜圓 HK$53
タロイモやサツマイモを使った団子とつぶ餡、仙草ゼリー、ナッツがのったパフェ

MENU
楊枝甘露＋小丸子
HK$53
マンゴーのピューレにタピオカに似たサゴを混ぜたもの

MENU
紅豆粒＋豆腐布甸＋單球雪糕 HK$49
豆腐プリンにつぶ餡とアイスクリームをのせている

MENU
亀ゼリー HK$72
黒亀の甲羅が原料で、美容や健康に良いとされる。自然な甘さが特徴

保存料・添加物不使用が自慢

恭和堂

恭和堂 Kung Wo Tong

銅鑼湾 MAP 付録P.16 B-3

1904年創業の老舗で現在香港内に4店舗を構える。各店舗にキッチンがあり、職人が毎朝3時間かけて亀ゼリーなどを準備し、いつでも新鮮なものを提供している。

☎2576-1001 交Ⓜ銅鑼灣駅A出口から徒歩3分 所銅鑼湾波斯富街87号地下 営11:00〜22:00 休無休 E E

↑店名が書かれた大きな看板が目印

←雪梨茶HK$19。ビタミンやミネラルが豊富

MENU
イチジクと霊芝ゼリー
HK$76
イチジクは消化を助け、霊芝は免疫力を高める

香ばしい香りに包まれる幸せな空間へようこそ

幸せいっぱい 魅惑のベーカリー2店

素材にこだわった本格ベーカリー2店。職人が手間ひまかけて作り上げる焼きたてパンは、お昼にも、小腹がすいたときにも最適！

A チョコレートヘーゼルナッツドーナツ
ヘーゼルナッツチョコの入ったドーナツにダークチョコレートをディップしたもの
HK$40

B ピスタチオタルト
ピスタチオのクランチ、クリーム、ムースをのせた白いタルト
HK$33

B アールグレイマンゴー
アールグレイの茶葉を練り込みマンゴーを入れた新作
HK$22

B パン・オ・レモンティー
紅茶、レモンの皮などを入れて香港のレモンティーを表現
HK$35

A エッグタルト
毎日1000個以上売れる大人気商品。ほどよい甘さで食感もいい
HK$12.5

B タロ キューブ
タロイモの素朴な甘さが人気のミニ食パン
HK$23

B 抹茶トースト
京都の宇治抹茶を使い、生地をツイストさせたトーストパン
HK$26

A レモンツイストドーナツ
レモンのさわやかな酸味が感じられる新作のドーナツ
HK$18

A クロワッサン
店の看板商品。ほとんどのパンにはオーガニック食材を使用
HK$22

A きな粉ドーナツ
エッグタルト、クロワッサンと並んで人気なのが各種ドーナツ
HK$38

A Recommended bakery in Hong Kong

有名職人のサクサクパン

ベイクハウス

Bakehouse

湾仔 MAP 付録P.15 D-4

世界のトップホテルで活躍したスイス出身のベイカー兼パティシエによる超人気店。「新鮮・美味・お手ごろ」がモットー。

☎なし 交Ⓜ灣仔駅A3出口から徒歩5分 所大王東街14号 営8:00～18:00(テイクアウトは～21:00) 休無休 E E

B Recommended bakery in Hong Kong

ずらりと並ぶ焼きたてパン

品穀

品穀 バンゴッ

湾仔 MAP 付録P.15 E-4

天然素材を使ったパンを手ごろな価格で提供。パンは売り切れ次第終了で、ケーキやタルトは昼までになくなってしまうことも。

☎3956-8620 交Ⓜ灣仔駅A3出口から徒歩3分 所太和街10-20号 福和大廈地下B舗 営8:00～20:00 休無休
E E

FIND YOUR FAVORITE ITEMS AND SOUVENIRS !

ショッピング

ショッピングセンターを駆け巡る

Contents

香港ショッピングクルーズ 欲しいものはここにある!

ショッピングモールで最先端グッズをゲット。あるいは雑多な街なかに点在するマーケットで、激安グッズを探すのもいい。買い物天国・香港で、ここにしかないアイテムを手に入れて。

基本情報

どこで買う?

ファッション好きなら、若手デザイナーの路面店や何でも揃うモールへ行こう。市場で値引き交渉しながら掘り出し物を探すのも楽しい。

ショッピングモール 大型購物中心

ファッションやグルメなど人気店が集結した大型モール。一日中楽しめる。

路面店 街舗

ローカル向けからトレンド系まで、ほかにはないアイテムを探すなら路面店へ。

スーパー 超級市場

P124

店舗が多く日本と同じ感覚で利用可能。お菓子やお茶などみやげ物探しにも。

市場 市場

激安アイテムを探すなら市場へ。ごった返すローカルムードも楽しめる。

休みはいつ?営業時間は?

ほとんどの店が無休で、11時頃からオープンしている。夜は日本より遅く、21時頃まで営業。ただし、旧正月はほとんどの店が休むので注意を。

エコバッグ持参が◎

香港ではすべての店でレジ袋が有料。無造作に商品のみ手渡されることがあるのでエコバッグを持ち歩くといい。ちなみにレジ袋1個につきHK$1が加算される。コンビニエンスストアでも同様だ。

香港の物価って?

以前に比べて物価は上昇傾向にあるものの、香港には消費税がないためブランドものなどが比較的安く手に入る。中国茶や中国雑貨などもお得だ。

ニセモノには要注意!

市場ではブランドものやキャラクターものの模造品が売られている。また繁華街で客引きに声をかけられることもあるが、はっきりと断ろう。

QTS認定店が安心♪

香港政府観光局が設けた、クオリティ・ツーリズム・サービス(QTS)優良店認定をされた商品やサービスの店なら、安心して買い物が楽しめる。

日本への持込禁止品に注意!

麻薬、薬物、武器、肉、花火、コピー品、植物、絶滅危惧種の生物等は香港から持ち出せない。たばこは紙巻200本または葉巻50本まで。肉は近年対応が厳格になり、ハムやソーセージ、肉まんなど加工品であっても対象となるので気をつけて。

お得情報

バーゲンの時期は?

香港のバーゲンは夏・冬の年に2回あり、7～8月とクリスマスがメインの12月～旧正月。最終的には70～80%オフになるので要チェック。

「買1送1」でまとめ買い!

スーパーマーケットなどでよく見かける「買1送1」は、1つ購入するともう1つおまけでもらえるという意味。バラマキみやげなどたくさん買いたいときに便利。

割引表示の見方

値札には「8折」といった割引表示がされている。これは80%の価格になるという意味。例えばHK$100のものに8折の表示があったらHK$80に。8割引ではないので間違いのないように。

カードの優待特典をチェック!

クレジットカード各社が優待特典を設けているので、事前にHPで確認しよう。買い物以外に、エステやレストランなどでの優遇もある。

サイズ換算表

服(レディス)			服(メンズ)	
日本		香港	日本	香港
7	S	34	S	36
9	M	36	M	38
11	L	38	L	40
13	LL	40	LL	42
15	3L	42	3L	44

パンツ(レディス)			パンツ(メンズ)		
日本(cm)/(inch)		香港	日本(cm)/(inch)		香港
58-61	23	32	68-71	27	36-38
61-64	24	34	71-76	28-29	38-40
64-67	25	36	76-84	30-31	40-44
67-70	26-27	38-40	84-94	32-33	44-48
70-73	28-29	42-44	94-104	34-35	48-50
73-76	30	46	―		―

靴	
日本	香港
22	34
22.5	35
23	36
23.5	37
24	38
24.5	39
25	40
25.5	41
26	42
26.5	43
27	44
27.5	45
28	46

おすすめの香港みやげ

若手デザイナーが手がけるシノワ雑貨、昔ながらのどこか懐かしい食器、さらにクッキーや調味料、中国茶といった食べ物系まで。香港には、おみやげに最適なセンスの良いアイテムが街中にあふれている。

シノワ雑貨 P.56

レトロでありながらモダンなシノワズリ雑貨。刺繍のファッショングッズやインテリア小物など種類も豊富。

キッチンアイテム P.120

食器を扱う専門店には、かわいい小皿やカップがずらり。台所用品を探すなら上海街がおすすめ。

香港コスメ P.114

香港ブランドや、日本ではまだなじみのない欧米ブランドのコスメが揃う。どれも厳選素材を使ったものばかり。

チョコレート&クッキー P.116

チョコレートやクッキーは、いまや香港みやげの定番。友人へのおみやげにも自分へのご褒美にもいい。

調味料 P.122

香港で生まれたXO醤をはじめとするさまざまな醤やラー油。地元で愛される老舗メーカーなら味も間違いなし。

中国茶&茶器 P.118

こだわりの中国茶と芸術的な茶器が手に入るのは本場ならでは。紅茶の専門店もあるので併せて巡ってみたい。

香港の注目ショッピングエリア

めまぐるしく進化し続ける香港には、次々と新しいショップが登場する。なかでも3つの街は見逃せない。

香港きっての賑わい
尖沙咀
チムサーチョイ

ネイザン・ロードを中心とする、香港随一の繁華街。通りには高級ブランドのブティックやローカルショップがひしめく。 P.136

高層ビル群が建つ経済の中心地
中環
セントラル

金融街として知られ、エリアにはショッピングモールやブランド店、有名なセレクトショップなどが並んでいる。 P.128

活気あふれるショッピングの街
銅鑼湾
コーズウェイ・ベイ

タイムズ・スクエアやハイサン・プレイスなどのショッピングモールからローカルな露店街まで何でもあり。 P.132

市場散策のコツ

庶民のパワーを実感できる香港のマーケット。商品が多様なので、のんびりと散策しながら眺めるだけでも楽しめる。貴重品管理には十分気をつけて。

市場の魅力って何?

無数の露店が並び、雑多でエネルギッシュなローカルムードが楽しめる。驚くほど手ごろだが、値段交渉は欠かさずに。

市場での支払い方法&値段交渉

クレジットカードは使えない。HK$10～100の紙幣を持っていこう。交渉は最初から大幅に値下げを要求するのではなく、あくまで楽しむ程度と心がけて。同じ店でたくさん買えば気軽に応じてくれる。

どんな市場があるの?

香港を代表する市場が、旺角のナイトマーケット、女人街。近くには観賞魚の専門店街・金魚街やフラワー・マーケット・ロード、翡翠の専門店街もある。

人が多い市場だからこそ、気をつけたいこと

とにかく人が多く外国人を狙ったスリも発生しているので、貴重品の管理に気をつけよう。手荷物は常に自身で管理できるよう、なるべく少なめがよい。

ワンランク上のおしゃれで視線を釘付け

周りと差がつくセレクトショップ4店

上質な素材使いと独自のセンスが光る、ハイクオリティのファッションアイテム。大人にふさわしいアイテムを求めて、香港を代表するショップへ出かけてみよう。

ハイブランドを豊富に品揃え

ジョイス

Joyce

尖沙咀 MAP 付録P.13 E-3

香港で2店舗を展開するハイファッションセレクトショップ。レディス、メンズともに60超のブランドを網羅。「日常の中に潜む特別感」を感じさせるようなグッズが並ぶ。

☎2367-8128 交Ⓜ尖沙咀駅A出口から徒歩10分 所海港城Gateway arcade Shp320 営11:00～21:00 休無休 E 💳

1. メンズコレクションも60以上のブランドの取り扱いがあり、充実
2. ハーバー・シティのいちばん奥に広い面積の店舗を構える

WHO DECIDES WARのデニムデザインの帽子 HK$2200

ルメールのショルダーバッグ HK$5600

ドイツのブランドのワンピース。洗練されたデザイン HK$1万2800

特徴的なジャケットに合わせるスカートルック。コーディネートの相談も可能 HK$1万8500

トロピカルなデザインのサンダル HK$5910

上質な革使いに定評のあるAlaiaのシューズは種類も豊富 HK$8810

香港を代表するアパレル店

アイティー

I.T.

銅鑼湾 MAP付録P.16 C-3

ヨーロッパや日本の高級ブランドがメインで、自社ブランドの5cm、izzueなども販売する。取り扱いブランド数は100以上で、レディス、メンズ、キッズを展開している。

☎2890-7329 交Ⓜ銅鑼湾駅A出口から徒歩5分 所希慎道1号 営10:00〜22:00 休無休

➡香港でいちばん広い店舗。4フロアそれぞれ個性的な空間

HK$5199

⬅ACNE STUDIOSのトートバッグ(エナメル)

➡鮮やかなブルーのアレクサンダー・ワンのバッグ

HK$4500

⬅シンプルなデザインがかわいいAMI PARISの財布

HK$3199

英国系老舗高級デパート

レーン・クロフォード

Lane Crawford

中環 MAP付録P.13 E-2

1850年に創立された老舗セレクトショップ。4店舗のうちifcモール店はフラッグシップ店で、ヨーロッパのデザイナーズコレクション、ビューティブランドなどが幅広く揃っている。

☎2118-2288 交Ⓜ香港駅F出口ifcモール直結 所金融街8号ifcモール3F3031-70 営10:00〜21:00 休無休(ifcモールに準ずる)

➡香港で最初に誕生した、英国系の高級デパート。シューズ、アクセサリー、ランジェリーもある

HK$6750

⬆フェミニンかつ強い女性像を表現するデザインが特徴のAlaiaのシューズ

HK$1万2500

➡THE ROWのレザートートバッグ

洗練されたパリブランド

バッシュ

Ba&sh

中環 MAP付録P.13 E-2

パリジェンヌデザイナー2人によって生み出されたフレンチブランド。「理想的なクローゼット」がコンセプトで、大人の女性に似合うエレガントなスタイルを提案している。

☎2339-1223 交Ⓜ香港駅F出口ifcモール直結 所金融街8号ifcモール1F1026 営10:00〜21:00 休無休(ifcモールに準ずる)

➡日本未上陸のブランド。香港ifc店はアジアのフラッグシップ

➡エスニックなデザインのLICIAドレス

HK$3270

⬇細いヒールが美しいCAYLAサンダル

HK$3270

➡シルバーが輝くSWINGバッグ

HK$3215

お肌に寄り添う心強いパートナーに出会える♥

自然派コスメ&ボディケア

香港で生まれたブランドをはじめ、世界各国から集まったお肌にやさしいアイテムがずらり。きっとお気に入りが見つかるはず!

A 自然派ライフスタイルを提案 ミー・ミン・マート

Mi Ming Mart

銅鑼湾 MAP 付録P.16 C-2

コスメ、アロマ、健康サプリなど、すべてをオーナーのミー・ミン氏が世界中から厳選してセレクト。どれも人と自然環境に配慮したものばかり。

☎2893-7008 交Ⓜ銅鑼湾駅E出口から徒歩3分 所記利佐治街11-19地下35号舗 営11:30～21:00 休無休

↑実際に効果が見えるものだけをチョイス

A ファンデーション HK$420
SPF20。皮膚の老化や色素沈着を予防する

A エッセンスクリーム HK$480
乾燥やムラを改善し、肌を緊密に保つ

A 美白サプリメント HK$620
肌の健康を回復させることで、明るく輝く素肌に

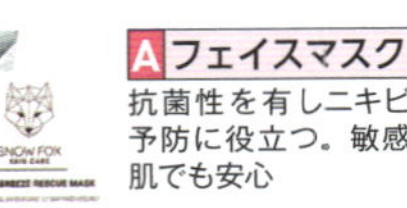

A フェイスマスク HK$298
抗菌性を有しニキビ予防に役立つ。敏感肌でも安心

A ナノコラーゲンマスク HK$990
真皮層まで効率的に浸透させる新しい技術を駆使して作られたマスク

A エッセンスオイル HK$580
高バイオアビリティを誇るヒアルロン酸を含んだ究極のスキンケア

A セラム HK$420(10mℓ)
幹細胞を活性化することで、1滴でしわ改善に

A スーパーセラム HK$1185
肌に深い栄養を供給し、美しい肌作りを助ける

B 目元用セラムとクリーム HK$880
疲れた眼部の皮膚を癒やし、血液の循環を促進する

B クレンジングオイル HK$880
白蘭花というユリのエキスを使ったクレンジング用シリーズ

B フェイシャルエッセンスオイル HK$880
血液の循環を強化し細胞の新陳代謝を促進する

B エッセンスオイル7本セット HK$1328
アロマディフューザーでも使用可能。どれも緊張の緩和、呼吸を整える

B アロマスプレー HK$998
アルコール無添加で、安全に頭髪、衣類、肌に使用できる

B 世界初白蘭花のコレクション キーマチュラ

Kimature

尖沙咀 MAP 付録P5 F-4

すべての商品がアルコール、保存料、着色料、香料無添加で100%香港製。おすすめは、創業者Kimの名前を冠したKimatureコレクション。

☎3419-1068 交Ⓜ尖沙咀駅L6出口から徒歩5分 所梳士巴利道 営12:00～21:00 休無休

↑スキンケアとボディフレグランスを展開

C 世界中の上質な原料を使用
バス・トゥ・ベーシック
Bathe To Basics

中環 MAP 付録P.12 C-3

肌の修復、保湿、アンチエイジングなどのスキンケア商品、エッセンシャルオイル、歯磨き粉などオーガニックアイテムが幅広く揃う。

☎2858-8135 交Ⓜ中環駅D2出口から徒歩15分 所PMQ(→P.36)、S403 営12:30～19:00 休無休 E

↑香港発のハンドメイドブランド

C ボディオイル
シャワー後におすすめ。すぐに成分が肌に吸収され、サラサラした感覚

HK$428

C シャンプー
マイルドな香りのベーシックシャンプー

HK$148

C 化粧水
しっとりと肌を保湿。詰め替え用もあるので一緒に購入したい

HK$188

C ボディソープ
数種類のエッセンスオイルが入った一番人気の商品

HK$118

C 洗顔料
カモミールやオリーブオイル配合で、しっとりとした洗い上がり

HK$168

C スティック香水
紅花油を使用したアルコールフリーの香水。香りは5種

各HK$228

C リップバーム
植物性ワックスを用いたしっとり潤うバーム

各HK$78

D 手作り石鹸が常時30種類
サボン・ワークショップ
皂工房 Savon Workshop

深水埗 MAP 付録P.19 B-2

手作り石鹸とスキンケア商品の専門店。店内にはDIY材料と自社製品、さらに環境に配慮した輸入商品もある。ほかにオイルやキャンドルも販売。

☎2677-8173 交Ⓜ深水埗駅A1出口から徒歩6分 所大南街191-193号地舗 営11:30～19:30 休日曜 E

↑石鹸作りの講習会も開催。HPで要予約

D 紫草膏(15g)
ラベンダー、ティーツリーなどのエッセンシャルオイルをブレンド

HK$58

D ミントシャンプー
漢方ヘアケアに欠かせない首烏を配合。白髪を減らし脱毛を防ぐ

HK$230

D クレンジングミルク
カモミールエキスを配合。水分バランスを整える

HK$208

D 石鹸(15g)
漢方薬やエッセンシャルオイルを使用した自家製石鹸

HK$80 HK$80

セレクトショップで見つけた優秀コスメをcheck!
トレンドセッターが集まる高級セレクトショップなら優秀コスメが手に入る！

世界各地のアイテムを厳選
ジョイス・ビューティー
Joyce Beauty

中環 MAP 付録P.16 C-3

香港の高級美容ブランド。スキンケアからヘアケアまで世界中の美容アイテムが並ぶ。

アイクリーム
DEAM INSTITUNEのアイクリームは目元を引き締める効果が

HK$2380

フェイスマスク
Tata Harperのアイテム。肌をなめらかに整える

HK$530

フェイスマスク
DEAM INSTITUNE製。敏感肌にも対応し、保湿を与える

HK$1100

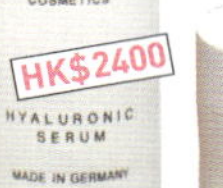

ヒアルロンセラム
ドイツのブランドDr. Barbara Sturm製

HK$2400

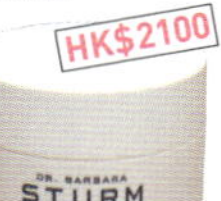

フェイスクリーム
Dr. Barbara Sturmはアンチエイジング効果も

HK$2100

キラキラ輝く、とっておきのお菓子をおみやげに

褒められスイーツギフト4店

香港みやげの新定番といえば、かわいいフォルムのクッキーや、チョコレート。現地でも人気、名門店の味をお持ち帰りして。

老舗の洋菓子ブランド

ルクラス

龍島 Lucullus

尖沙咀 MAP 付録P.6 C-3

1976年創業、香港に15店舗を展開する老舗店。高級ベルギーチョコを使用したチョコレートが人気で、動物やバラ、ボールなどをかたどった3Dチョコが看板商品だ。オリジナリティあふれるクッキーはおみやげに最適。

☎2758-3878 交M尖沙咀駅N4出口直結 所彌敦道63号アイ・スクエアLG層4B 営11:30〜20:00 休無休

1.チョコレートは独自製法により溶けない 2.高級ベルギーチョコを使用したチョコレートが人気 3.パッケージもおしゃれでおみやげに喜ばれること間違いなし

HK$108

マグカップ付きギフトボックス

茶餐庁スタイルのチョコレートとクッキーがマグカップに

クッキーギフトボックス(16枚入り)

パイナップルパン、あずきミルク、エビワンタンなど6種詰め合わせ

HK$108

ショーケースにはチョコレートやケーキが並ぶ

色とりどりでキュートなスイーツがいっぱい!

オリジナルチョコ(16個入り)

一箱でいろいろな味を楽しめる、選べるチョコレート詰め合わせ

HK$359

見た目もかわいいアイテムが人気

老舗とはひと味違う！

ザ・ロール

The Roll

湾仔 MAP 付録P.15 D-4

台湾人のオーナーのSteveさんが香港人のパートナーと始めたエッグロール専門店。香港の5ツ星ホテルやラグジュアリーブランドのハンパー、顧客へのギフトとしても採用されている。素材にこだわったエッグロールの味は折り紙付き。

☎2360-9088 交Ⓜ灣仔駅D出口から徒歩2分 所皇后大道東168号地舗 営11:00～19:00 休無休 E

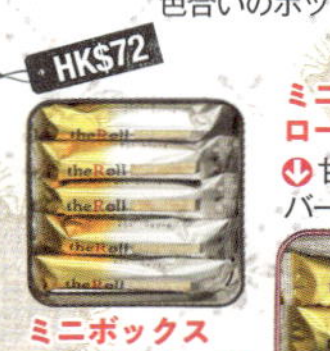
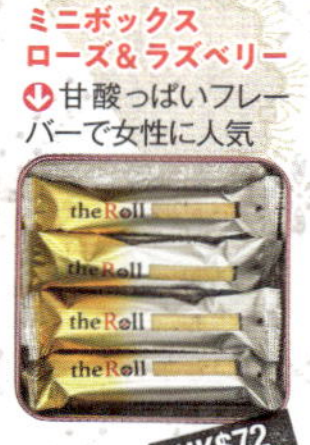

1.スタイリッシュな店内
2.フレーバーごとに異なる色合いのボックス

HK$208

プレミアムボックス
エッグロールはすべて100%香港製造で添加物不使用の低糖レシピ

HK$72

ミニボックス ヘーゼルナッツ
ナッツの香ばしい香りが堪能できる

HK$72

ミニボックス ローズ&ラズベリー
甘酸っぱいフレーバーで女性に人気

HK$228

アソートボックス
キンモクセイ&ロンガン、ピスタチオ&カボチャなどの種類の味が楽しめる

HK$258

ローズ&ラズベリーパルミエ
バラの香りと希少なラズベリーの甘酸っぱい味が相性ぴったり

HK$228

パルミエアソート
一口サイズのパルミエが4種類味わえる

名門ホテル出身パティシエのお手製

名パティシエたちのクッキー

コンテ・デ・クッキー

曲奇童話 Conte de cookie

尖沙咀 MAP 付録P.6 C-3

有名ホテルで実績を積んだパティシエたちが、完全無添加のクッキーやパルミエ(ハートパイ)を提供する。フランスまたはオーストラリア産バター、カカオベリーのチョコレートなど、最高級の食材にもこだわっている。

☎2889-2799 交Ⓜ尖沙咀駅A2出口から徒歩2分 所加拿分道8-12号嘉芬大廈地下H舗 営11:00～21:00 休無休 E

1.白を基調にしたシンプルな店内 2.常時19種以上のクッキーが並ぶ

HK$228

パルミエボックス
オリジナルのほか、抹茶味も提供

HK$198

チョコレート・ラバー
チョコ好きにはたまらないショコラクッキー全種詰め合わせ

HK$438

10周年記念ギフトボックス
定番から香港らしい味までさまざまな味が詰まった10周年記念缶

1.香港で9店舗を展開する有名店
2.店内では自由に試食が可能

クッキーはマカダミア、ピスタチオなど種類が豊富！

幅広い層に人気のクッキーショップ

クッキー・カルテット

曲奇四重奏 Cookies Quartet

銅鑼湾 MAP 付録P.16 B-3

現地の人だけでなく観光客にも愛されるクッキー店。さまざまな味のクッキーはもちろん、パルミエも人気。チョコ好きなら、ショコラクッキーを揃えたチョコレート・ラバーをどうぞ。

☎2382-2827 交Ⓜ銅鑼灣駅A出口から徒歩5分 所軒尼詩道432-436号人和悦大廈地下1号舗 営11:00～21:00 休無休 E

ほっとひと息。自宅で簡単癒やしの時間を演出

好みの茶器で味わう一杯

伝統的な中国茶をはじめ紅茶も幅広く親しまれている香港。茶葉や茶器を持ち帰り、自宅でも本場の味を楽しみたい。

香港のお茶事情

中国茶や紅茶など、さまざまな国のお茶文化を受け継ぐ香港。アフタヌーンティーの習慣はイギリス統治時代の名残。お菓子に合わせるなら香り高い鉄観音茶が人気。

高級茶をマカロンとともに

ティー・ダブリュー・ジー

Tea WG

中環 MAP 付録P.13 E-2

シンガポール発の高級茶ブランド。主力のオートクチュールシリーズはダージリン、アールグレイベースのブレンドティーで、30種以上が揃う。ifc店はカフェを併設しマカロンやアイスも提供。茶器も豊富に揃えており、アフタヌーンティーが人気だ。

☎2796-2828 交Ⓜ香港駅F出口ifcモール直結 所金融街8号ifcモール1F1022号舗 営10:00～22:00 休無休(ifcモールに準ずる) E

↑2008年にブランド創立。エレメンツやハーバーシティにも店舗がある

Haute Coutureシリーズ 各HK$288
WHITE SKY TEA(左2)は HK$388

↑左が緑茶にハーブやベリーをブレンドした、定番のシルバームーンティー

ティーポット(右) HK$1868
カップ&ソーサー(左) HK$1308

↓Tsarinaコレクションのアイテム。22ctゴールド塗装できらめくデザイン

ティーポット(右) HK$4578～
カップ&ソーサー(左) HK$326

↓→クラシックな美しさと保温性を兼ね備えたアイテム

チョコレート アールグレイティー HK$278

→ベルガモットとピュアダークチョコレートを使用

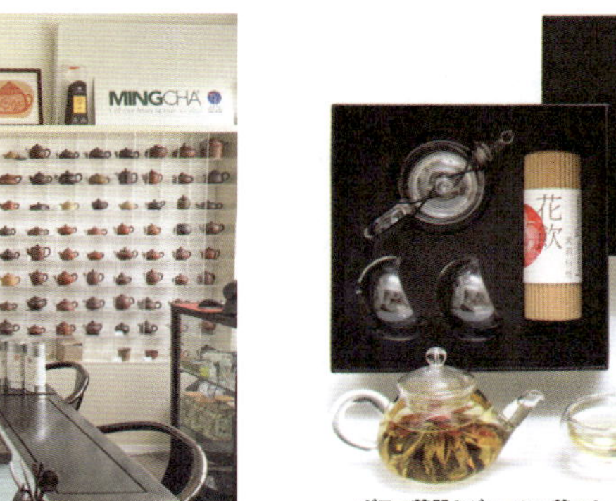

ガラス茶器とジャスミン茶のセット HK$500
工芸茶や花茶を目でも楽しめる透明茶器

中国茶の伝統にアートが融合
明茶房

明茶房 ミンチャーフォン
柴湾 MAP 付録P.3 F-3

アーティストのビビアンさんがオープンしたアトリエのような店。30種以上の茶葉はビビアンさん自らが茶農家を訪れ厳選したもの。日本語で学べる体験型ワークショップもある。

☎2520-2116 交Ⓜ柴灣駅B出口から徒歩5分
所柴湾利眾街40号富誠工業大廈B座15楼82室
営10:00～19:00 休日曜、祝日 J E カード

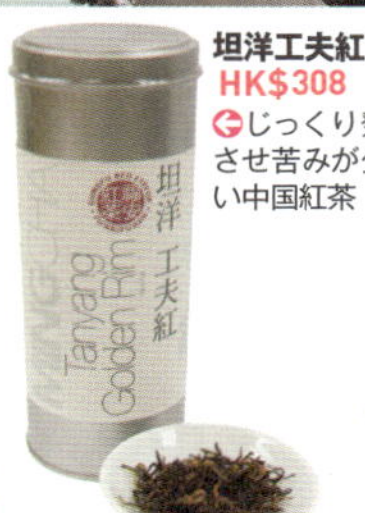

坦洋工夫紅
HK$308
じっくり発酵させ苦みが少ない中国紅茶

中国紅茶を楽しむための中洋折衷茶器セット HK$280

ヴィクトリア・ハーバーを望む茶室
新星茶荘

新星茶荘 サンシンチャーチョン
銅鑼湾 MAP 付録P.16 B-3

繁華街の喧騒を忘れてしまうほど静寂に包まれたモダンな店内には、ヴィンテージを含む120種ものプーアール茶や茶器がずらりと並ぶ。見晴らしのいい喫茶コーナーはまさに空中茶室。ゆったりと中国茶の世界に浸ることができる。日本語を話すスタッフが常駐。

☎2832-2889 交Ⓜ銅鑼灣駅A出口から徒歩2分 所羅素街38号金朝陽中心32F3201室 営10:00～19:00 休無休
J E カード

洗練された内装の店内でゆっくりと茶葉を選ぼう

大樹探花熟磚
HK$260
ボーレイ茶の達人が作り上げた至極の1枚(150g)

茶器セット HK$258
湯呑み4個、茶壺などがポーチに入る持ち運び用のセット。コンパクトに収納でき、自宅での利用にも活躍

キンモクセイの花をブレンドした烏龍茶(左)。福建省安渓を代表する鉄観音(中)。爽やかなジャスミン茶(右)

2018年桃花源小餅
HK$150
中に入っている茶葉をお湯に浸してお茶を作る

急須
HK$1280
紫砂を用いた高級急須

食卓が華やぐ食器、便利な雑貨を求めて…

愛しのキッチン雑貨探し

老舗の工房や雑貨店にはレトロ&シノワな食器がいっぱい。手ごろなものも多いので、時間をかけてお宝探しを満喫!

ハッピーモチーフ?

香港の人々は縁起物が大好き。風水で縁起がいいとされるドラゴンやニワトリ、金色の豚、おめでたい文字、花が描かれている食器類や雑貨類が多く販売されている。

HK$20 小ぶりな茶器で、カラーバリエーションも充実

HK$38 蓋付きマグカップで中は茶漉しになっている

HK$35 中国の伝統的な青磁の茶器

HK$59 「万寿」をイメージしたデザイン

HK$12.50 耐熱性に優れた家庭用の土鍋

景徳行瓷業公司

景徳行瓷業公司 ゲンタックホーンヒーンチーイップゴーンシー

湾仔 MAP 付録P.14 C-4

多彩な台所用品がずらり

☎3118-2422 交Ⓜ湾仔駅A3出口から徒歩8分 所皇后大道東126-128号地下 営9:30～19:00 休日曜、祝日 E

有名な中国陶器からガラスウェアまで幅広い商品を取り扱う。現在は生活雑貨も販売。日本人観光客には、レトロなニワトリ柄の食器や陶器のお茶缶が人気。

もとは卸売店として創業。台所まわりの用品なら何でもある

1959年創業。商品を吊るして販売するレトロな雰囲気の雑貨店

朱栄記

朱榮記 ジューウェンゲイ

上環 MAP 付録P.12 B-2

昔ながらの日用品店

☎2545-3560 交Ⓜ上環駅A2出口から徒歩15分 所水坑口街24-26号 営11:00～19:00 休日曜 E

2代目店主が伝統的な雑貨屋スタイルを継承。鍋、茶碗、ラタン籠、貯金箱、椅子と、数えきれないほどの日用品が山積みになっている。店内を巡り、掘り出し物を探してみたい。

HK$98 HK$159 長寿を願う「萬寿無疆」が描かれたふた付きマグカップ

HK$79 カラフルな花が描かれた使い勝手のよい小皿

HK$15 香港の屋台で昔よく使われていたというレンゲ

HK$49 「萬寿無疆」の碗。祖父母へのおみやげにおすすめ

HK$298～ 漢方茶を煎じるための土瓶をかたどったおもちゃのセット

オリジナルデザイン、カラフルな中国服の醤油小皿 HK$40

ふたをスライドさせて使う伝統的な茶器 HK$200

中国の農村風景を描いたシリーズは、外国人観光客にも人気 HK$400

水差しとして、また一輪挿しとしても使えるかわいい陶器 HK$200

中国服をあしらったシリーズの丸皿 HK$80

粵東磁廠

粵東磁廠 ユットンチーチョン

九龍湾 MAP 付録P.5 E-2

長い歴史を誇る陶芸工房

1928年に開業した香港最大の工房。中国を代表する景徳鎮の窯業技術を習得する一方で西洋諸国のデザインも取り入れ、独自の中洋折衷デザインを展開。食器が並ぶ店はまさに宝の山。

☎2796-1125 交Ⓜ九龍灣駅A出口から徒歩10分 所宏開道15号 九龍湾工業中心3F1-3室 営9:00～17:00 休日曜、祝日 Ⓔ

黒地

黒地 ハッディ

旺角 MAP 付録P.9 A-3

おしゃれなオールド香港

家庭用雑貨と生活用品を取り扱うお店。香港のレトロな商品を中心に、アメリカのファイヤーキングのヴィンテージカップや日本、台湾、インドからも買い付けを行っている。

☎9806-1476 交Ⓜ旺角駅C2出口から徒歩3分 所上海街618号地下G04C 営12:00～20:00 休無休 Ⓔ

香港の老舗理髪店で親しまれてきた燕梳巾 HK$18

上質ながらお手ごろなのがうれしいレンゲ 各HK$22

人気なファイヤーキングのティーカップ＆ソーサー HK$1100

華やかなシノワズリプレート大サイズ HK$170

CAMEL魔法瓶ミントグリーン。香港の職人が手作りする人気商品 HK$279

香港ならではのキッチン用品は上海街で

台所用品のお店が並ぶ油麻地の上海街は、さしずめ東京の合羽橋。食器、セイロ、フライパンと、あらゆる商品が格安で販売されている。

萬記砧板

萬記砧板 マンゲイヂンパン

油麻地 MAP 付録P.8 B-2

数あるお店のなかでもとりわけ有名

家庭用からプロが使う厨房用まで、キッチンに関するアイテムをほぼ網羅。3店がつながっており、商品のジャンルによって分かれている。

☎2332-2784 交Ⓜ油麻地駅C出口から徒歩3分 所上海街340-342号地下 営9:30～19:00 日曜10:30～18:30 休無休 ⒿⒺ

シュウマイなど蒸し物に便利なセイロ。4サイズ展開 HK$24

飲茶を入れる籠など竹製品も充実している HK$138

ステンレス製のソース入れ HK$25

自宅でカンタン！香港ごはんを作りましょ

一発で味が決まる！魅惑の調味料

中国料理に欠かせない老舗メーカーの旨みたっぷり調味料。手料理をワンランクアップさせてくれる逸品をおみやげに。

Ⓐ **甜麵醤**
HK$21
1年かけて発酵させた甜麺醤。独特の甘みとゴマの香りが炒め物に合う

Ⓐ **辣豆瓣醤**
HK$24
四川風仕立てのスパイシーソース。野菜炒めや麺料理におすすめ

Ⓐ **八宝醤**
HK$45
干しホタテ、干しエビなどで仕上げた万能調味料。炒め物に最適

Ⓐ **海皇醤**
HK$26
ホタテなど魚介類の豊かな風味をベースに酸味をプラスした甘辛調味料

Ⓐ **XO醤**
HK$95
金華ハム、干しエビ、日本産ホタテなどで作ったXO醤。日本人に人気

Ⓒ **辣椒醤（大）**
HK$60
辛みと酸味が絶妙なバランスのチリソース（大）。味が濃く香りも良い

Ⓑ **蠔油**
HK$78
旨みがギュッと凝縮されたオイスターソース。炒め物におすすめ

Ⓑ **金牌生抽**
HK$36
日本人観光客に一番人気の秘伝の醤油。焼きそばにもよく合う

Ⓑ **優質麻油**
HK$40
良質なゴマだけを使った、無添加のゴマ油。中国料理には欠かせない

Ⓑ **原錦豉**
HK$50
良質な黄豆と小麦を発酵させた万能味噌。どんな料理とも相性が良い

Ⓒ **蘇梅醤**
HK$30
梅の甘酸っぱさがラムや鶏肉、豚肉などの肉料理にぴったり

Ⓒ **香辣油**
HK$45
日本でいうラー油。大豆油とたっぷりの唐辛子、にんにく酢入り

Ⓒ **辣椒醤(小)**
HK$45
チリソース(小)。シュウマイやおでんなどにつけると味が引き締まる

Ⓒ **鼓椒醤**
HK$40
料理を味わい豊かにするピリ辛ソース。スープや麺、海鮮料理とも好相性

香港生まれの調味料「XO醤」

1930年代、ザ・ペニンシュラ香港内のレストラン「嘉麟楼」の料理長であった許成が開発した調味料。XOとはブランデーの最高の等級を示すエクストラオールド(eXtra Old)からとられたもの。干しエビや貝柱、金華ハムなどの高級食材をふんだんに使用し、新しいもの好きの香港の人々の間で話題になり、各店オリジナルのXO醤が作られるようになった。

A 一流ホテルも使う調味料
八珍

八珍 パッザン

旺角 MAP 付録P.9 B-2

調味料には世界各地から調達した良質な天然素材を使用。有名レストランやホテルでも使われている。伝統的なおやつも販売。

☎2394-8777 交Ⓜ旺角駅B3出口から徒歩3分 所花園街136A 営9:00～19:00 休無休 JE

B 創業100年超のメーカー
九龍醤園

九龍醤園 ガオルーンチョンユン

中環 MAP 付録P.13 D-2

防腐剤や化学調味料を一切使わない伝統的な製法にこだわる。狭い路地にある店内には、壁の両側に調味料が整然と並んでいる。

☎2544-3695 交Ⓜ中環駅D2出口から徒歩6分 所皇后大道中嘉咸街9号 営8:30～18:15(土曜は～18:00) 休日曜、祝日 JE

C 伝統の味を3代目が復活
余均益

余均益 ユーグァンイェック

西環 MAP 付録P.11 E-2

創業100年余の老舗調味料店で、3代目オーナーが秘伝ソースを継承。防腐剤は一切使わず、素材の味や風味を生かしている。

☎2568-8007 交Ⓜ西營盤駅B2出口から徒歩3分 所第三街66号A地舗 営8:30～17:00 土曜9:00～13:00 休日曜、祝日 E

パケ買いもハズレなし!? 香港限定の宝庫です

2大スーパーのグルメみやげをcheck!

ウェルカム（惠康）とパークンショップ（百佳）は香港を代表するスーパー。地元で親しまれる庶民派ローカル店は、ご当地食品の宝庫!

どのMTR駅にも店があり便利

ウェルカム

惠康 ワイホン

銅鑼湾 MAP 付録P.16 C-2

香港内に250店舗以上を展開する一大チェーン。MTRの全駅に店舗があるので、街歩きの途中に気軽に立ち寄れる。銅鑼湾店と旺角店は24時間営業。

☎2577-3215 交Ⓜ銅鑼灣駅E出口から徒歩2分 所記利佐治街25-29号 営24時間 休無休 E

↑街を歩けば、「惠康」の赤い看板を必ず目にするはず

←香港式のミルクティーに欠かせないクリームミルク。お菓子作りにも

←マンゴーパイケーキ。香港名物のマンゴースイーツもスーパーで

→やさしい甘さで懐かしい味わいのエッグロール

↑使いやすいティーバッグの鉄観音茶

↑日本でもよく見かける即席ラーメン。海鮮味とサテ味

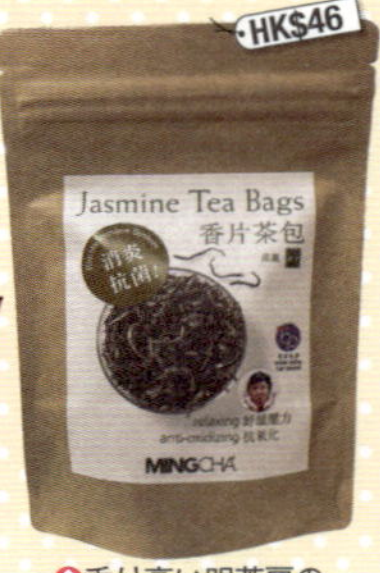

↑香り高い明茶房のジャスミン茶

HK$53

←香港名物のXO醤。炒め物やチャーハンなどの料理を格上げしてくれる

バラマキ用お菓子も充実

パークンショップ

百佳 バッガイ

湾仔 MAP 付録P.15 F-3

地元ではおなじみのローカルスーパーで、お菓子やお茶、即席麺なども販売。フュージョンやテイストといった高級路線の姉妹店もおすすめ。

☎2893-9466 交Ⓜ灣仔駅E出口から徒歩10分 所軒尼詩道302-308号集成中心地庫 営8:00～22:30 休無休 E

↑香港全土に170を超える店舗がある。青い看板が目印

←濃いめの紅茶と甘いミルクのハーモニーを楽しむ香港式ミルクティー

↓オバさん飴の通称で親しまれるのど飴。喉の痛みに効果抜群と大人気

↑香港限定カルビーとコラボのスパイシーチリクラブ

HK$13.5

→ビタミンがたっぷり入った、ミックスベリーのキャンディ

HK$16.9

←老舗李錦記のオイスターソース。チューブ式で使い勝手がいい

←乾燥させたエビの卵をまぶしたヌードル。お湯をかければ完成

↑香りも楽しみたいローズの花入りジャスミン茶

道路で食材を干す店も。今も老舗の店が多く、朝から業者で賑わう

通りを歩いておいしいもの探し

海味街で乾物みやげ

上環と西営盤の間にある「海味街」は乾物屋通りとして有名で、質の良い乾物は観光客にも人気。店先には珍しい食材も陳列され、見るだけでも楽しめる。

燕の巣ドリンク各HK$230（左から加糖・無糖）

フカヒレHK$288。鍋に移し替えて温めて食べる

一番人気のアフリカ産干しアワビHK$6000～

長年愛される老舗店

安記海味

安記海味 On Kee Dry Seafood
オンゲイホイメイ

上環 MAP 付録P.12 C-2

香港で有名な海産物店のひとつ。現在の社長の祖父が「福記」として海産物店を80年前に始め、「安記」に看板を変えて50年以上。「安記海味」ブランドとしてスーパーでも加工品が扱われている。

☎2544-6336 交Ⓜ上環駅A2出口から徒歩5分 所急庇利街8号金豊大廈地下 営9:00～18:00 休日曜 Ⓔ

↑リチャード・プーン社長

不老長寿の薬として知られるクコの実HK$42.5

コラーゲン豊富な花膠HK$1350

事前に知っておきたい日本への持ち込み注意な品目

魚や果物は生のまま持ち込みできないが、乾物ならOKだ。肉製品は加工品でも持ち込みできない。名物として人気の金華ハムもNGなので要注意。

植物防疫所…HP www.maff.go.jp/pps/j/search/ikuni/hk.html

体と向き合う時間。自然治癒力をフル活用

漢方アイテムで体メンテ

伝統医学のエッセンスが詰まった、あらゆる症状に対応できるとされる漢方薬の本場で気軽に相談してみよう。

漢方とは…

伝統と現代とが共存する香港で、古くから健康を理解し、病を治癒する手段として根付く漢方。植物、動物、鉱物の一部または全部、薬草などを調合し、さまざまな体の症状に応じた体質改善をすることで自然治癒力を高める。

漢方茶がモダンなドリンクに

チェック・チェック・シン

CheckCheckCin

上環 MAP 付録P.12 C-2

漢方医でもあるオーナーのシンさんが、伝統的な漢方茶を若者たちにも広めようと始めた健康ドリンク・ショップ。独自のブレンドですっきり飲みやすくし、体調などに合わせて種類を選べる。

☎2833-5508 交Ⓜ上環駅A2／E2出口から徒歩4分 所蘇杭街4-6号啓豐大廈地下 営10:30～18:30 休日曜、祝日 E E (診療時)

米水
HK$32
紅米と白米を配合。胃の不調が気になる人におすすめ

ドラゴンフルーツパールローズティー
HK$40
便秘やストレスを和らげる効果あり

梨とキンモクセイミックス
HK$40
喉の不調が気になる人におすすめ

老舗で安心。漢方薬局チェーンで漢方みやげをゲットする

体調で気になるところがあったら、本場の漢方薬を試すのも手。まずは手軽な商品から。

生姜茶
HK$79
寒けに効く。胃の働きを助け、脾臓の力を強化する

養生健脾四神粉
HK$99
食欲不振、疲労感などに。湯で溶かすか料理に入れて

原味滴鶏精
HK$318
自然の農法で育てたチキンを8時間高圧調理してエッセンスを抽出

健脾祛湿飲
HK$48
漢方100%。体の余分な水分を取り、栄養吸収と代謝を促進

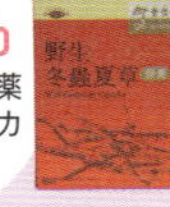

野生冬虫夏草膠嚢 HK$1790
古くから不老長寿薬とされたきのこ。カプセル入り

店内は明るくて初心者でも気軽に入りやすい

美容と健康のための多彩な商品

余仁生

余仁生 Eu Yan Sang ユーヤンサン

尖沙咀 MAP 付録P.7 D-3

1879年創業の大手漢方薬店。上質な材料を用いた漢方薬は地元で評判が高い。店で処方もするが、おみやげにはパッケージ入り商品がおすすめ。漢方薬スープやハーブティーもある。

☎2366-8321 交Ⓜ尖沙咀駅B2出口から徒歩5分 所金馬倫道29号地下A号 営10:00～20:00 休無休 J J E E

WALKING IN THE EMOTIONAL CITY

歩いて楽しむ

7つのメインエリアを歩く

Contents

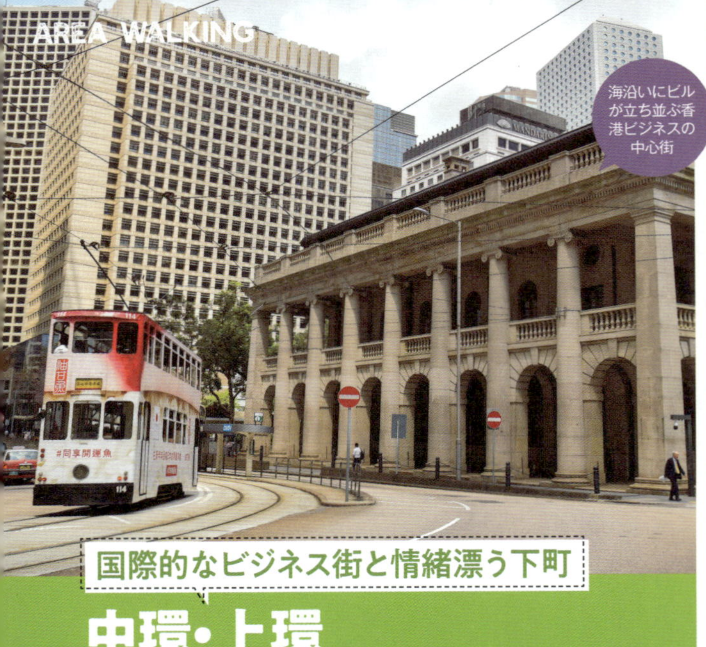

海沿いにビルが立ち並ぶ香港ビジネスの中心街

国際的なビジネス街と情緒漂う下町

中環・上環

Central セントラル ・Sheung Wan ションワン

中環は、超高層ビルが林立する世界屈指の金融街。上環は、中国からの移住者が住む下町。最新とレトロが交錯する独特の風情がこのエリアの魅力。

MAP 付録P.12-13

石畳の細い坂道が連なる街 世界一長いエスカレーターも名物

ヴィクトリア・ハーバーに面したウォーターフロントにifcモールや香港摩天輪がそびえ、大都会ならではのダイナミックな景観を見せる中環。中環駅周辺には商業ビルや高級ホテルが林立するが、上環駅方面の路地を一歩入ると、そこにはオールド香港の面影が残っている。なかでも石畳が続くポッティンジャー・ストリートは、映画のロケにしばしば使われる人気の坂道。付近にはノーホーやソーホーといった若者に人気のエリアもあり、おしゃれなショップやカフェが立ち並ぶ。散策には動く歩道ミッドレベル・エスカレーターが便利だ。

よりレトロな風情を楽しむならさらに上環駅の方面へ。乾物の専門店街や文武廟などの古い寺院、露店が並ぶキャット・ストリートもあり下町情緒にふれられる。

★徒歩の目安時間

MTR中環駅
徒歩すぐ
スタチュー・スクエア
徒歩15分
大館
徒歩5分
孫中山紀念館
徒歩7分
PMQ
徒歩10分
文武廟
徒歩10分
MTR上環駅

アクセスと交通

Ⓜ中環駅、上環駅、香港駅

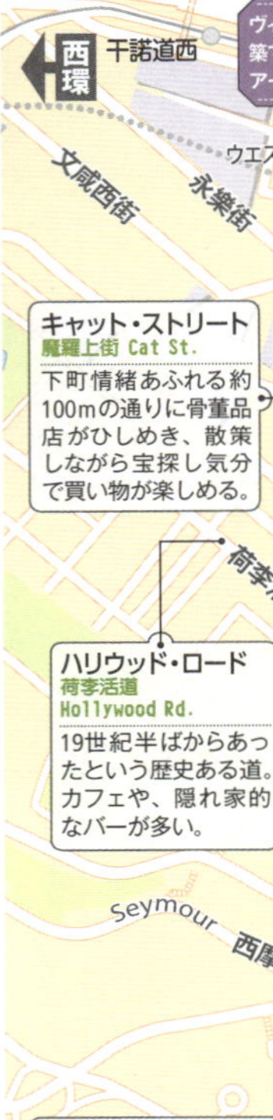

ヴィクトリア女王時代の建築で、現在はショッピングアーケードになっている

キャット・ストリート
摩羅上街 Cat St.
下町情緒あふれる約100mの通りに骨董品店がひしめき、散策しながら宝探し気分で買い物が楽しめる。

ハリウッド・ロード
荷李活道
Hollywood Rd.
19世紀半ばからあったという歴史ある道。カフェや、隠れ家的なバーが多い。

ミッドレベル・エスカレーター
半山自動扶梯
Mid-Levels Escalator
坂道の多い中環にある世界最長800mのエスカレーター。朝6時から10時までは下り、それ以外は上り。

↑19世紀後半の建造物がアートスポットに生まれ変わった大館(→P.34)で香港の歴史を感じたい

↑香港島と九龍半島を結ぶスターフェリー(→P.25)で、香港の美しい景色を楽しもう

↑香港摩天輪(→P.23)は中環海浜にある約60mの高さの観覧車

↑セント・ジョンズ大聖堂は1849年に英国の教会として建造され、香港で2番目に古い建造物として知られる

隣り合うビジネス街と庶民的な街並み

金鐘・灣仔

Admiralty アドミラルティ・Wan Chai ワンチャイ

金鐘駅周辺やハーバー沿いに商業ビルが立ち並ぶ、政治やビジネスの中心地。1本裏路地に入ると、昔ながらの市場や隠れ家的な店にも出会える。

MAP 付録P.14-15

海沿いに広がる国際的なビジネス街 生鮮市場など庶民的な一面も

中環の東側に位置する金鐘は、ビルやホテルが立ち並ぶきらびやかなビジネスの街だ。エリアを象徴するパシフィック・プレイスには高級ブランドが数多く入店。西側にある香港公園は、近隣の市民たちを癒やす都会のオアシスになっている。

金鐘の東に広がる湾仔は、2つの特徴を持つ街。ひとつは、アジア最大のイベント会場、香港コンベンション&エキシビションセンターを中心に展開されるビジネス街。ヴィクトリア・ハーバー沿いに摩天楼がそびえ、周辺は港を望む散策路として整備されている。金紫荊広場にある香港返還の記念像は中国本土の観光客に人気だ。金鐘のもうひとつの顔は庶民的な生活圏。灣仔駅の南側には青空市場や露店が並び、エネルギッシュな庶民のパワーが体感できる。

★徒歩の目安時間

MTR金鐘駅
徒歩5分
香港公園
徒歩10分
パシフィック・プレイス
徒歩8分
スター・ストリート
徒歩6分
ベイクハウス
徒歩6分
香港故事館
徒歩8分
MTR灣仔駅

アクセスと交通

Ⓜ金鐘駅、灣仔駅

バインミーでベトナムを感じて

ル・プティ・サイゴン

Le Petit Saigon

MAP 付録P.14 C-4

本格ベトナム料理のブラッスリー隣接のバインミースタンド。定番のベトナムコーヒーと一緒に味わいたい。

☎2455-2499 交Ⓜ金鐘駅F出口から徒歩5分
所永豐街16号地下 営12:00〜21:30 休無休
E 英

↑フランスの影響で誕生したベトナム風サンドイッチのバインミーはHK$98〜

↑風水に基づき設計された香港公園(→P.65)で運気を高めよう

ヴィクトリア・ハーバー
Victoria Harbour

アートに没入
ワオ・ギャラリー
WOAW Gallery
MAP 付録P.14 C-4

ケビン・プーン氏によって設立された、香港を1号店に、シンガポールや北京にも支店を持つ著名なアートギャラリー。

☎2965-2719 交Ⓜ金鐘駅C1出口から徒歩7分 所日街3及5号 営11:00～19:00 休日・月曜 E

↑白を基調とした店内は2階建て

↑誰でも自由に見学可能

こだわりの一杯
エレファント・グラウンズ
Elephant Grounds
MAP 付録P.14 C-3

「コーヒー＆チル」をテーマにしたおしゃれで開放的なカフェ。コーヒーは自家焙煎した豆を使用。

☎2778-2700 交Ⓜ湾仔駅A3出口から徒歩10分 所永豐街8号永豐大廈地舗 営8:00(土・日曜9:00)～21:00 休無休 E E

→毎朝豆の挽き具合を調整しているラテHK$40

↓ウッドテイストの店内は天井も高く開放的

香港コンベンション&エキシビションセンターの周囲に広がる。夜のライトアップも美しい

P.65 香港コンベンション&エキシビションセンター

↑香港コンベンション&エキシビションセンター(→P.65)は超高層ビルや会議施設、ホテルなどを合わせた複合施設

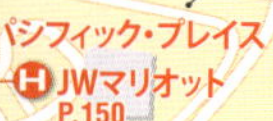

金鐘駅と4つのホテルに直結する巨大複合施設。約200の店舗が集結

リートン・アベニュー
利東街 Lee Tung Ave.

古い印刷屋通りだったが、地区開発により新しく生まれ変わった話題のエリア。

↑香港随一のショッピング施設で買い物やグルメを楽しみたい

スター・ストリート
星街 Star St.

閑寂な古い街並みに、今風のカフェやバー、アートギャラリーなどが点在する。

→香港故事館では湾仔地区の昔の日用品を展示している

1920年代に建てられた住宅で、湾仔地区の昔の民間日用品などを展示

活気あふれるショッピング天国
銅鑼湾
Causeway Bay コーズウェイ・ベイ

ファッション、雑貨、食品と、あらゆる買い物が楽しめるショッピングタウン。繁華街だけあって、レストランも充実。海沿いの観光地にも足を延ばしてみたい。

MAP 付録P.16-17

ショッピングモールから青空市場まで欲しいもの満載、グルメも満載

銅鑼灣駅周辺に数々の大型ショッピングモールやデパートが建ち、平日の昼間から夜遅くまで若者や観光客で混み合う街。エリアのランドマークは、巨大なタイムズ・スクエア。さらにハイサン・プレイスやリーガーデンズ、ファッション・ウォークといったモールも人気だ。

街には昔ながらの路面店や激安品を売る青空市場も健在なので、予算に合わせて買い物を楽しみたい。

近隣の代表的な観光名所は、海沿いにあるヌーン・デイ・ガン。イギリス統治時代の名残で、今でも正午になると毎日空砲を撃つ。さらに海岸沿いを東に進むと、市民の憩いの場ヴィクトリア・パークが広がっている。競馬ファンならハッピー・バレー競馬場にも足を運んでみたい。

★徒歩の目安時間

MTR銅鑼灣駅
徒歩すぐ
タイムズ・スクエア
徒歩5分
ハイサン・プレイス
徒歩5分
ファッション・ウォーク
徒歩5分
ヴィクトリア・パーク
徒歩5分
香港中央図書館
徒歩10分
MTR銅鑼灣駅

アクセスと交通

Ⓜ銅鑼灣駅

←駅に直結するハイサン・プレイスは人気のショッピングスポット

↑タイムズ・スクエアはデパートや映画館、レストランが揃う

エンタメ充実の競馬場で遊ぼう!

ビール! ショー! グルメも充実

ハッピー・バレー競馬場はイギリス統治が始まって以降、娯楽と社交の場として栄えた人気スポット。主にナイトレースが開催されており、競馬ファンはもちろん、お酒を飲みながら軽食を食べたりするのも一興。

MAP 付録P.16 B-4

大学を中心におしゃれなカフェやアートスポットが充実！

古き良き面影とモダンが交差する旬の街

西環

Sai Wan サイワン

地下鉄の延長、3つの駅のオープンをきっかけに交通が便利になった。高台から海を望む住宅街には今、新しい風が吹いている。

MAP 付録P.10-11

坂道の随所に歴史的建造物が点在 人気カフェやレストランも多い

香港島北西部にある西環は、近年開発が進むエリア。きっかけは地下鉄が延長し、西營盤駅・香港大學駅・堅尼地城駅が新設されたこと。ローカル色が残る一方で新しい店が次々とオープンし、注目を集めている。

3駅のなかでいちばん東の西營盤駅は、19世紀半ばに中国本土から来た人々が移り住んだ坂道の街だ。海側から第一街、第二街、第三街と碁盤の目のように整備され、メイン通りの正街には商店が多く集まっている。さらに高台にある高街は、多国籍料理の店やバーが急増し発展が著しい。付近には西区社区中心をはじめとする歴史的建造物も多く残るので、正街エスカレーターを活用しながら散策を楽しみたい。また西営盤の西には香港大学があり、香港最古の博物館や趣のある校舎が見学できる。

★徒歩の目安時間

MTR西營盤駅
徒歩3分
高街
徒歩5分
正街
徒歩3分
アートレーン
徒歩12分
ノー・ミルクシェーク ノー・ライフ
徒歩13分
香港大学
徒歩5分
MTR香港大學駅

アクセスと交通

Ⓜ西營盤駅、香港大學駅

学生ゆかりの落ち着いた空間

バーン・タイ

Baan Thai

MAP 付録P.10 C-2

タイ語で「家」を意味するBaan。香港大学の学生たちに人気を博す現代風のタイレストラン&バー。

☎2739-9188 交Ⓜ香港大學駅B2出口から徒歩5分 所石塘咀南里1号南一里地下 営12:00～24:00 休不定休

↑壁に描かれた象や手のモチーフもタイらしい

→タイ式の甘いミルクティー HK$48

←パッタイ HK$158にはシュリンプトッピングがおすすめ

皇后大道 トラム 卑路乍灣公園 荷蘭街 堅尼地城海傍 北街 山市街 士美非路 卑路乍街 吉席街 石山街 MTRアイランド・ライン MTR港島線 堅尼地城駅 蒲飛路 薄扶林道 士美菲路 Pok Fu Lam Rd

↑香港らしいレトロな雰囲気のカフェでフードやドリンクを味わいたい

ヴィクトリア・ハーバー
Victoria Harbour

心霊スポット!? 西営盤社区総合大楼

風格のある一級歴史建造物

1892年に建てられた建造物を再建し、コミュニティセンターとして利用。精神病院や処刑場、廃墟だった時期もあり、怪奇現象の噂が後を絶たず、お化け屋敷と呼ばれたとか。MAP付録P.11 F-2

⬆カラフルなストリートアートが並ぶアートレーン(→P.42)はフォトジェニックなエリア

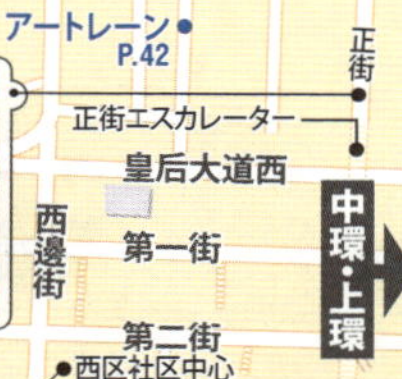

正街

正街 Centre St.

伝統的な市場があり、活気あふれる通り。かなりの急坂で知られるがエスカレーターもある。

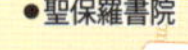

かつて病院だった歴史建造物。現在は多目的コミュニティホールに

高街

高街 High St.

カフェやバーが立ち並ぶスタイリッシュなエリア。週末になると多くの欧米人で賑わう。

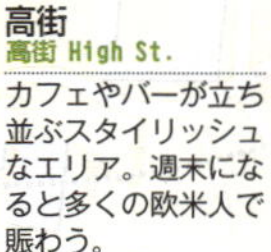

甘党にはたまらない

ノー・ミルクシェーク ノー・ライフ

No Milkshake No Life

MAP付録P.10 C-2

「おそらく町で最高のミルクシェイク」を謳う、ミルクシェイクが看板商品のアメリカンなコンフォートフード店。

☎6471-3339 交Ⓜ香港大學駅B2出口から徒歩1分 所石塘咀山道31-37号地下A号舗 営11:00〜19:00 休月曜 E E

⬆パンケーキ生地2枚、卵2個、ベーコン、ポルチーニ茸に自家製のシロップをかけたものHK$111

⬅抹茶ミルクシェイクHK$59。ミルクシェイクは9種類

⬅店内はノスタルジックなアメリカンスタイル

香港最古の大学を散策しよう

香港大学

香港大學 The University of Hong Kong

ヒョンゴンダイホッ

MAP付録P.11 D-3

1911年設立。博物館や本部棟などが公開され、当時の面影を残した歴史建築物や貴重なコレクションにふれられる。

交Ⓜ香港大學駅A2出口から徒歩3分 所薄扶林道 開休料見学自由(建物内は不可) ※月〜土曜の8:00〜18:00は事前予約必要、その他の時間は不要

⬆中庭を囲む美しい模様のタイルが敷かれた回廊も見どころのひとつ

深夜まで賑わう、香港きっての繁華街

尖沙咀
Tsim Sha Tsui チムサーチョイ

かつてその賑わいからゴールデン・マイルと呼ばれたネイザン・ロードが中心。食べる、買う、泊まる、観るのすべてが揃う香港一のネオン街で雑多な雰囲気を体感。

MAP 付録P.6-7

大通りにあふれる人混みが香港らしい 心地よい散策路からの眺めも必見

九龍半島の南端、ネイザン・ロードを中心とするエリア。周辺には有名レストランやショップ、名門ホテルが集中し、ヴィクトリア・ハーバーを渡るスター・フェリーも運航。特に巨大雑居ビル重慶大厦の近辺は夜遅くまで賑わいをみせ、まさに「眠らない街・香港」を体感することができる。

観光地も多いが、なかでも定番はハーバー沿いの遊歩道、尖沙咀プロムナードだ。香港島の摩天楼を見渡すことができ、毎晩行われるシンフォニー・オブ・ライツは必見。また香港で最も高い世界貿易センターの展望台デッキも観光客に人気が高い。

巨大なショッピングモール、アイ・スクエアや1881ヘリテージ、さらにおしゃれなバー&レストランが並ぶナッツフォード・テラスもおすすめのスポットだ。

★徒歩の目安時間

MTR尖沙咀駅
徒歩1分
九龍公園
徒歩15分
オーシャン・ターミナル・デッキ
徒歩5分
1881ヘリテージ
徒歩10分
アベニュー・オブ・スターズ
徒歩5分
尖沙咀プロムナード
徒歩4分
MTR尖沙咀駅

アクセスと交通

Ⓜ尖沙咀駅

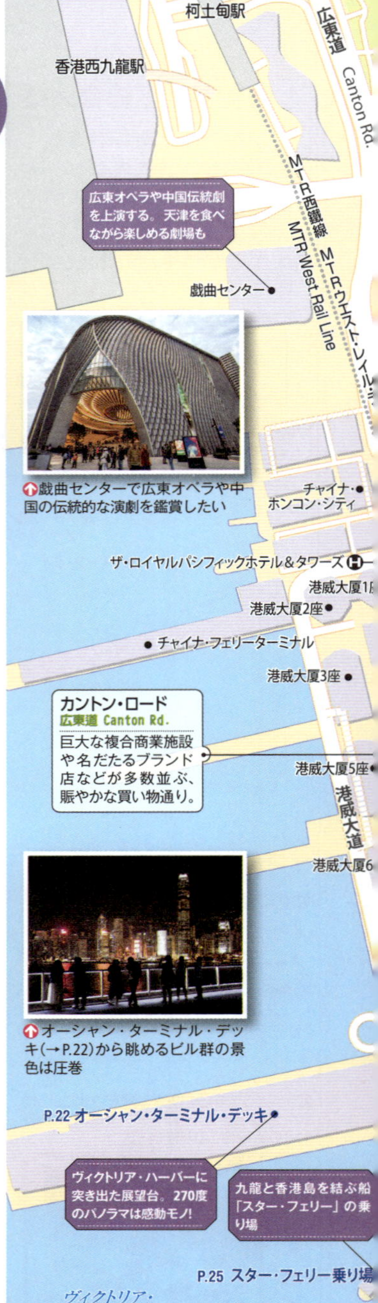

↑戯曲センターで広東オペラや中国の伝統的な演劇を鑑賞したい

↑オーシャン・ターミナル・デッキ(→P.22)から眺めるビル群の景色は圧巻

油麻地
宝霊街
Shanghai St. 上海街
佐敦駅
Bowring St.
柯士甸道
Cox's Rd.
Austin Rd.
山林道 Hill Wood Rd.
多彩なレストランやショッピングが楽しめるK11ミュシーア
オースティン・ロード
柯士甸道 Austin Rd.
尖沙咀の主要な道路のひとつ。東西方向に走り、尖沙咀と佐敦の境界線でもある。
アベニュー・オブ・スターズ（→P.23）にあるブルース・リーの銅像
MTR荃灣線
MTR Tsuen Wan Line
MTRツェンワン・ライン
室内体育館
九龍公園游泳池
ナッツフォード・テラス
香港サイエンス・ミュージアム
Kimberley Rd.
金巴利道
彌敦道
加拏分道
65 九龍公園
ザ・ミラ香港
ライフタスティック・パティスリー P.101
加連威老道
Nathan Rd.
Carnarvon Rd.
時計塔は1915年に建設された旧九龍駅のなかで唯一残っている建造物
ネイザン・ロード
彌敦道 Nathan Rd.
第13代香港総督ネイザン卿にちなんで名付けられた全長3.6kmのメインストリート。
ネイザン・ロード
九龍公園（→P.65）はフラミンゴを見たりカフェで休憩したりすることができる
Humphreys Ave.
海防道
Hanoi Rd.
市政局百週年紀念花園
漆咸道南
麼地道
広東道
Canton Rd.
九龍公園径
亜士厘道
Ashley Rd.
尖沙咀駅
ハイアット・リージェンシー
カオルーン・シャングリ・ラ P.150
「恋する惑星」など、多くの映画や小説の舞台になった雑居ビル
アイ・スクエア
ホリデイ・イン・ゴールデン・マイル
足芸舍 P.55
北京道 Peking Rd.
重慶大厦
MTR西鐵線
1881年建設の建造物を利用した商業複合施設。撮影スポットとしても人気
訊号山花園
1881ヘリテージ P.45
Middle Rd.
MTR荃灣線
シェラトン香港ホテル&タワーズ
ローズウッド香港（→P.146）の客室からは高層ビルならではの景色が一望できる
尖東駅
尖沙咀プロムナード P.23
P.148 ザ・ペニンシュラ香港
ローズウッド香港 P.146
ソールズベリー・ロード
MTRツェンワン・ライン
（尖沙咀）ターセンター港政府観光局）
香港スペース・ミュージアム
K11ミューシア
1915年建立。旧九龍駅跡地にそびえ立つ尖沙咀のシンボル的存在
香港スターの手形やサインが埋め込まれ、映画関連グッズの店もある
芸術性を兼ね備えた大型ショッピングモール。館内のアートにも注目
香港ミュージアム・オブ・アート
時計塔
P.23 アベニュー・オブ・スターズ
リージェント香港
N
0 100m

個性豊かな名物ストリートが充実の下町エリア

九龍半島の北側に広がるローカルタウン

佐敦・油麻地・旺角

Jordan ジョーダン・Yau Ma Tei ヤウマティ・Mong Kok モンコック

翡翠のアクセサリーや台所用品、さらには激安のファッションや金魚まで。個性豊かな専門店街やマーケットを歩き、下町の雰囲気を楽しもう。

MAP 付録P.8-9

グルメの街としても知られる旺角 女人街は雑然とした夜のマーケット

尖沙咀からネイザン・ロードを北上した場所に位置する、佐敦・油麻地・旺角。このあたりはローカルな雰囲気に満ち、さまざまな市場も健在。同じ九龍半島でも繁華街の尖沙咀とは異なる下町風情を楽しめる。

佐敦駅と油麻地駅の間、ドラマや映画のロケにも使われる油麻地警署のすぐ近くにあるのが、翡翠専門の玉器市場(ジェイド・マーケット)だ。そしてエリアのランドマークである天后廟の一本西には、台所用品の専門店が並ぶ上海街がある。街をさらに北上し旺角駅の東側を進むと、今度はファッション雑貨を売る女人街や、観賞魚の専門店が並ぶ金魚街が現れる。それぞれの市場は個性があり、気の向くまま路地歩きを楽しみたい。近年旺角には巨大複合ビルも登場し、若者でいっそう賑わっている。

★徒歩の目安時間

MTR佐敦駅
徒歩3分
男人街(廟街)
徒歩6分
天后廟
徒歩15分
女人街(通菜街)
徒歩8分
ランガム・プレイス
徒歩10分
金魚街
徒歩3分
MTR太子駅

アクセスと交通

Ⓜ佐敦駅、油麻地駅、旺角駅、太子駅

約200軒の翡翠の店が集まる市場

玉器市場

玉器市場 Jade Market ユッヘイシーチョン

MAP 付録P.8 B-3

魔除けや縁起物として人気の翡翠を扱う卸売店が軒を連ねる。安価なものから高級品までさまざま。

㊌Ⓜ油麻地駅C出口から徒歩7分 ㊎甘粛街
㊑10:00~18:00頃 ㊡無休

新填地街
新填地街 Reclamation St.
庶民の生活を支える市場通り。食品、衣料品、花などを販売する露店が続く。

男人街(廟街)
男人街(廟街) Temple St.
天后廟から続くテンプルSt.の通称で、夕方以降になると男性向けのさまざまな物を売る露店が出て賑わう。

九龍エリア最大規模の寺院
天后廟

Tin Hau Temple ティンハウミュウ

MAP 付録P.8 B-2

海の女神・天后をはじめ、地元の土地の神様が祀られている。このような廟が数多く点在するが、なかでもここは代表的。

交Ⓜ油麻地駅C出口から徒歩6分 所廟街近衆坊街 開8:00～17:00 休無休 料無料

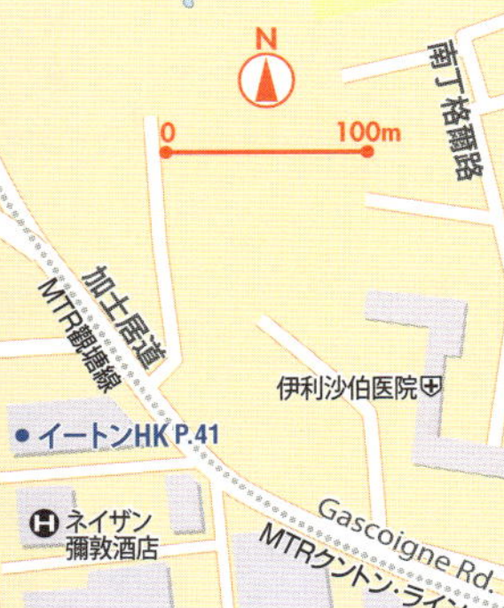

裕華国貨(→P.57)は香港らしい雑貨や食品の宝庫でおみやげ探しにぴったり

金魚街
金魚街 Goldfish Market
ひしめく店舗に金魚や熱帯魚の入ったビニール袋がずらりと並ぶ光景は圧巻で、見ているだけでも楽しめる。

洗衣街
洗衣街 Sai Yee St.
もともとは住民たちが洗濯をしていた川だったため、ランドリーSt.とも呼ばれる。

花園街
花園街 Fa Yuen St.
スニーカーを扱うスポーツ用品店や専門店が並び、スニーカー好きが集まる。

ショッピングモール、ホテル、オフィスからなる巨大な複合施設

上海街
上海街 Shantung St.
鍋や包丁など、調理に関する道具の専門店がひしめき、香港の食文化にふれることができる。

女人街(通菜街)
女人街(通菜街) Tung Choi St.
女性用の衣類やファッション雑貨のナイトマーケットが開催され、豊富な商品が所狭しと並ぶ。

登打士街
登打士街 Dundas St.
旺角エリアを東西に貫く通り。西側は華やかな歓楽街で、東側は小さな店が密集。

パワーあふれるディープな下町

深水埗

Sham Shui Po シャムスイポー

アクセスと交通

Ⓜ深水埗駅、石硤尾駅

旺角 油麻地 九龍 尖沙咀 中環 西環 湾仔 香港島 銅鑼湾

電化製品の鴨寮街や手芸品の汝州街など多くの専門店街に地元民が集う。1960年代の香港を思わせる、アジアらしいカオスな雰囲気が健在。

MAP 付録P.19 上

問屋街で掘り出し物探し 庶民派のB級グルメも盛りだくさん

観光客で賑わう旺角を北上したところにあるのが、ディープな地元パワーを感じられる深水埗だ。めまぐるしく再開発が進む香港のなかで、昔ながらの景観を保つ数少ないエリアになっている。

駅付近には多くの専門店街があり、なかでも香港の秋葉原と呼ばれる鴨寮街が有名だ。手芸品店・生地問屋が集中する汝州街、ショッピングモールのある西九龍中心も、掘り出し物探しが楽しい場所だ。また、近年は基隆街エリアがリノベーションカフェの激戦区となり、無機質でおしゃれなカフェやレトロなカフェが多くの軒を連ねる。

⬆香港最古の公団住宅の一部を再利用

昔ながらの建物を再利用

美荷楼

美荷樓 Mei Ho House メイホーラウ

MAP 付録P.19 B-2

今では珍しいH型の構造をした宿泊施設。博物館スペースやショップも入る。

☎3728-3500 交Ⓜ深水埗駅D2出口から徒歩7分 所巴域街70号石硤尾邨41座 営休施設により異なる

➡階段部分に描かれた壁面アートにも注目したい

⬅食後のコーヒーもぜひ味わって

時代が変わっても変わらない味

維記咖啡粉麵

維記咖啡粉麵 Wai Kee Noodle Cafe ワイゲイガーフェファンミン

MAP 付録P.19 B-2

薄切りの豚レバーがたっぷりのっているが臭みもなく、食べごたえのある栄養満点なラーメンが味わえる。

☎2387-6515 交Ⓜ深水埗駅B2出口から徒歩2分 所福榮街62号及66号地下 営6:30～20:30(土・日曜は～19:15) 休無休 E

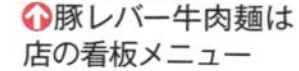

⬆豚レバー牛肉麺は店の看板メニュー

大豆製品を扱う老舗

公和荳品廠

公和荳品廠 Kung Wo Dou Bun Chong ゴンウォダウバンチョン

MAP 付録P.19 B-2

1960年から市民に愛され続ける店。油揚げや厚揚げ、豆乳など、さまざまな大豆製品を取り扱う。

☎2386-6871 交Ⓜ深水埗駅B2出口から徒歩1分 所北河街118号地下 営7:00～21:30 休無休

⬆名物の豆腐プリンはなめらかな口当たり

混沌のなかを生き抜く力強さを感じて

進化し続ける香港の今と昔

中国支配と155年間に及ぶイギリス統治という歴史を歩んだ香港。今も数多く残されるレトロ建築を生み出した香港の歴史ドラマをのぞいてみよう。

香港島がイギリス領となる

アヘン戦争と南京条約

ヨーロッパの大国が、東アジアの植民地経営や貿易独占を競い合っていた19世紀。イギリスでは紅茶人気が国内で高まり、中国(清国)・広州港から大量の茶葉や茶器(陶磁器)を輸入していた。一方で、イギリスの輸出品の綿織物は中国で売れず、貿易赤字が続いたイギリスはアヘンの密輸に踏みきった。大量のアヘンが蔓延し、中国の経済と秩序は混乱。清朝政府が強硬な対抗策に出たことから、1840年に中英間でアヘン戦争が勃発する。英国軍の強大な軍事力を前に中国は敗北し、1842年に南京条約をイギリスとの間で締結。中国の5港の開港と香港島の割譲などが定められた。

九龍半島南部も英国領に

イギリス統治と「香港」の拡大

イギリスの統治前の香港島は、わずかな集落が点在するだけの寒村にすぎなかった。イギリスは香港島を軍備・貿易拠点とすべく、植民地建設を進めた。現在の中環エリアを中心に街が開かれ、沿岸には英国商社の倉庫、高台のヴィクトリア・ピークには英国人の邸宅が建設され、街路にはガス灯がともされるなど、西洋風の街並みが整備された。上環には、大陸から流入した中国人の街が生まれている。

イギリスが中国での権益拡大を狙っていたとき、アロー号事件が勃発する。イギリス国旗を掲げた商船・アロー号の乗組員が中国の官憲に逮捕されたことをきっかけに、イギリスはフランスと連合して1856年に中国を攻撃。勝利したイギリスは、1860年に北京条約を締結して九龍半島南部を植民地に編入した。以後、香港は貿易港として発展していく。

➲英国人居住地と中環を結んだピーク・トラム

名物のフェリーとトラム誕生

イギリス領香港の発展

1894年に中国が日清戦争に敗北。弱体化した中国に対し、イギリスは香港の防衛を名目に、香港地域拡張に関する条約(香港境界拡張専門協約)を1898年に結ばせ、九龍半島北部の新界と周辺島嶼を租借地とした。これにより、現在の香港とほぼ同じ領域がイギリス植民地となる。租借の期限は99年間とされた。

香港では学校や病院、教会、交通網などのインフラ整備が進み、1888年には香港島と九龍を結ぶフェリー、中環とヴィクトリア・ピークを結ぶピーク・トラム、1904年には路面電車の香港トラムが運行を開始。20世紀に香港は世界有数の貿易都市の地位を築いていく。

➲英国軍将校の邸宅を再建したマレーハウス

日本化が行われた短命期

約4年の日本統治時代

一方、欧米列強の圧力で弱体化の進んだ中国・清朝は、孫文ら革命派が起こした辛亥革命によって滅亡。1912年に中華民国が成立する。太平洋戦争が勃発した1941年、香港は日本軍の攻撃で陥落。以後、約3年8カ月間、日本の統治下に入った。日本は香港の英国化を払拭するため、英語を禁止して日本語を奨励し、地名や道路名を日本語に改めた。香港ドルの廃止によって、経済は混乱を招いた。

➲1849年築のセント・ジョンズ大聖堂。日本統治時代には日本軍の倶楽部に利用された

世界的な経済・金融都市へ

戦後のめざましい発展

1945年に太平洋戦争が終結すると、香港は再びイギリスの統治下に入った。大陸では、1949年に共産党政権による中華人民共和国が成立。技術者や資本家ら、大陸からの移民が大量に流入した香港では工業力がアップ。朝鮮戦争やベトナム戦争による特需の恩恵も受け、香港経済は大きく発展した。中国とイギリスの間では、1997年の新界の租借期限が近づくにつれて返還交渉が活発化した。1984年に中英共同声明を発表。租借地・新界のほか、九龍半島南部、香港島を合わせた香港一括返還が決定された。

中国返還後の香港の未来

一国二制度の光と影

中英共同声明によって、香港の一定の自治権と資本主義制度を50年間維持することが定められた。社会主義の中国とは異なる体制を維持する一国二制度の状態を今も続けている。1997年7月1日に返還式典が執り行われ、香港は中国の特別行政区に組み込まれた。返還後の香港では、中央政府による中国化の動きが見られ、そのたびに民主派の市民らによる反政府デモが繰り返されてきた。

経済面ではアジア通貨危機やSARS(新型肺炎)の流行で経済が一時停滞したが、現在では国際金融センターとして活況を呈している。ただし、経済復興の要因には中国の飛躍的な経済発展があり、中央の影響力は少なくない。香港のこれからに世界が注目している。

➲19世紀後半に建てられた旧水上警察本部。現在は複合施設「1881ヘリテージ」に活用

ひと足延ばして
香港ディズニーランドへ

マジカルなショーとアトラクション、キャラクター体験を楽しんで。

香港ディズニーランド・リゾート

香港迪士尼樂園 ヒョンゴンテェテシーレイロッユン
Hong Kong Disneyland Resort

MAP 付録P.2 C-3

オリジナルエリアのミスティック・ポイント等、テーマランドは全8つ。ミッキー＆フレンズや大人気のダッフィー＆フレンズにも会える。季節ごとの限定コスチュームをまとったキャラクターとのグリーティングを楽しもう。

☎1830-830 交Ⓜ迪士尼駅A出口からすぐ 開10:30～21:00(時期により異なる) 料1デー・チケットHK$639～

information

● 「キャッスル・オブ・マジカル・ドリーム」誕生
2020年に開業15周年を記念して「スリーピング・ビューティー・キャッスル」が「キャッスル・オブ・マジカル・ドリーム」に生まれ変わった。新たなお城は13のディズニープリンセスとクイーンの物語が盛り込まれている。

● チケット購入方法
チケットは公式ウェブサイト、パーク正面入口、ホテルのフロントで購入可能。

● 公式アプリを使おう
アトラクションの待ち時間やショーの時間が確認できる便利なアプリを使ってより快適にパークを楽しもう。日本で事前にダウンロードしておくのがおすすめ。

● 無料Wi-Fiを利用しよう
香港ディズニーリゾート内全域にて利用可能。

待望の『アナと雪の女王』のエリア
ワールド・オブ・フローズン

アナとエルサたちが暮らすアレンデール王国の街並みが細部まで再現されている

ワールド・オブ・フローズン

World of Frozen

2023年11月にオープンした『アナと雪の女王』をテーマにした世界初・最大のエリア。映画でおなじみの音楽や北欧らしい建物、3つのアトラクションやエンターテインメントが楽しめる。

3つの特別なアトラクションを紹介

ファミリー向けコースター

ワンダリング・オーケンズ スライディング・スレイ

Wandering Oakens sliding sleighs

高速でスリリングなそり型のローラーコースター。いざ、アレンデールの美しい景色を巡る冒険へ。

身長制限 95cm以上

フィヨルドの水の上を駆け巡る

アレンデールの森が舞台

短い滝を急降下し、水しぶきがかかる場面も

真実の愛を見届けよう

フローズン・エバー・アフター

Frozen ever after

映画『アナと雪の女王』のストーリーを旅するボートライド。キャラクターや音楽がゲストを魔法の世界へといざなう。

身長制限 なし

笑いあり感動ありのストーリー

アナとエルサの隠れ家へ

プレイハウス・イン・ザ・ウッズ

Playhouse in the woods

アナ、エルサ、オラフが登場するショー。美しいプロジェクションマッピングを使った舞台でエルサの氷の魔法を感じて。

身長制限 なし

キャラクターが繰り広げる演劇を鑑賞

ワクワクが止まらない 8つのテーマランド

ワールド・オブ・フローズンにあるプレイハウス・イン・ザ・ウッズ

トイ・ストーリーランド
Toy Story Land

おもちゃたちが大活躍する『トイ・ストーリー』の世界が広がる。人気キャラクターがあちこちに。

ポップでかわいいエリア

ワールド・オブ・フローズン
World of Frozen

アナとエルサの故郷、アレンデール王国を再現したエリア。映画がテーマのアトラクションやレストランが堪能できる。

「夏の雪の日」を祝うアレンデールの街

ファンタジーランド
Fantasyland

かわいらしいおとぎの国。「イッツ・ア・スモールワールド」など、小さな子どもも楽しめるアトラクションが揃う。

ティンカー・ベルに会える

夜のシンデレラ・カルーセルは日中とは違う雰囲気

ミスティック・ポイント
Mystic Point

オリジナルエリア。ヘンリー・ミスティック卿が集めたコレクションを飾る、ミステリアスな博物館がコンセプト。

ミスティック・マナー

トゥモローランド
Tomorrowland

最先端の科学技術や未来の世界がテーマ。『マーベル』や『スター・ウォーズ』のアトラクションが楽しめる。

グリズリー・ガルチ
Grizzly Gulch

ゴールドラッシュで沸いたアメリカが舞台。西部開拓時代のコスチュームを着たキャラクターたちが出迎えてくれる。

大人気ビッグ・グリズリー・マウンテン・ラナウェイ・マイン・カー

アドベンチャーランド
Adventureland

「ジャングル・リバー・クルーズ」や「ターザンのツリーハウス」など、名のとおりジャングルアドベンチャーを体験。

ジャングル・リバー・クルーズで大自然を大冒険

お城の前で繰り広げられるモーメンタス

マーベルファン必見のエリア

メインストリートUSA
Main Street U.S.A.

パーク入口に広がるエリア。20世紀初頭のアメリカの街を再現しており、ショップやレストランが立ち並ぶ。

エントランスからお城まで続くストリート

大人も子どもも大満足!!

大人気アトラクション&ショー

大人気マーベルヒーローが登場

アイアンマン・エクスペリエンス/アントマン&ワスプ:ナノ・バトル!

Stark Expo Iron Man Experience Ant Man and the Wasp: Nano Battle!

トゥモローランド

アイアンマン、アントマンとワスプと一緒にヒドラを倒し、スターク・エキスポを守ろう。

身長制限なし

舞台はヒドラに狙われたアイアンマンのパビリオン

あなたのお気に入りのダッフィー&フレンズに会おう!

ダッフィー&フレンズプレイハウス

Duffy and Friends Play House

メインストリートUSA

季節に合わせたコスチュームをまとったダッフィー&フレンズに会おう。

大人気キャラクター、リーナ・ベルにも会える

邸宅内はさまざまな美術品が飾られ幻想的

エキゾチックな邸宅を探検

ミスティック・マナー

Mystic Manor

ミスティック・ポイント

ミステリアスなヘンリー・ミスティック卿の邸宅を巡る、香港ディズニーランドのオリジナルアトラクション。

身長制限なし

夜空を彩る魔法と光のショー

モーメンタス ナイトタイム スペクタキュラー

Momentous Nighttime Spectacular

キャッスル・オブ・マジカル・ドリーム

夜のエンターテインメント。迫力ある映像と、ディズニーとピクサーの名曲がプロジェクションマッピングでたのしめる。

レーザーや噴水、花火などの演出もあり大迫力

一緒に踊って楽しもう

フォロー・ユア・ドリーム

Follow Your Dreams

メインストリートUSA

ミッキーと仲間たちが繰り広げるライブ・ミュージカル。音楽に合わせたダンスに加え、噴水や花火が会場を盛り上げる。

お城の前にたくさんのキャラクターが登場する

食事はここで!!

クリスタル・ロータス

Crystal Lotus

香港ディズニーランド・ホテル内

香港政府観光局からの受賞歴もある、モダンチャイニーズレストラン。キャラクターをモチーフにした飲茶も人気。

メインストリート・コーナーカフェ(提供:コカ・コーラ)

Main Street Corner Cafe Hosted by Coca-Cola®

メインストリートUSA

コカ・コーラのヴィンテージコレクションに囲まれながら種類豊富な料理に舌鼓。

ゴールデン・クロッカス・イン

Golden Crocus Inn

ワールド・オブ・フローズン

アレンデール王国の王家と市民から愛されている伝統料理を味わえる。

エクスプローラーズ・クラブ・レストラン

Explorer's Club Restaurant

ミスティック・ポイント

世界中のさまざまな国の料理が楽しめるセミビュッフェレストラン。

豪華絢爛!ラグジュアリーな空間で優雅なひとときを

極上ホテルで至福のホテルステイ

**至福の滞在を約束してくれる、香港で今話題のホテル。
洗練された内装と美しい眺め、そして一流のもてなしにうっとり。**

1.長期滞在用のローズウッドレジデンス。アメニティや各種サービスも充実している
2.高層ビル群を見晴らす、グランド・ハーバービュールーム

ヴィクトリア・ハーバーを望む
ゆとりのある客室

アートのあるゴージャスホテル

ローズウッド香港

香港瑰麗酒店 Rosewood Hong Kong
ヒョンゴングァイライ

尖沙咀 MAP 付録P.7 D-4

2019年に開業したラグジュアリーホテル。ショップやレストランが入店する複合施設ヴィクトリア・ドックサイド内にあり、客室の8割からヴィクトリア・ハーバーを望むことができる。ホテル内には芸術的な調度品が飾られ、ロビーもシックな装い。屋外テラスのあるレストランも極上の居心地。

☎3891-8888 交Ⓜ尖沙咀駅J2出口から徒歩3分 所梳士巴利道18号
料HK$4300～ 室数413室
HP www.rosewoodhotels.com/
J E E

3.スイートルームの宿泊客が利用できる、プライベートなマナークラブ
4.マナークラブの奥にはバーがあり、夜景を眺めながらゆっくりできる

5.モダンレストラン、彤福軒で楽しめる広東料理。内装やカトラリーも素敵
6.ケーキが並ぶ、バタフライ・パティスリー

大都会のオアシスで癒やされる

ザ マレー 香港 ニッコロ ホテル

香港美利酒店 The Murray, Hong Kong, a Niccolo Hotel ヒョンゴンメイレイザウディム

中環 MAP 付録P.13 F-4

歴史建造物マレー・ビルをリノベーションし2018年にオープン。インテリアはミニマムで、シンプルを追求しつつモダンな雰囲気も演出。客室からは高層ビル群や公園が見渡せ、落ち着いて過ごすことができる。好みに応じた枕を選ぶことが可能。

☎3141-8888 交Ⓜ中環駅J2／K出口から徒歩9分 所紅棉路22号 料HK$2068～ 室数336室 HP www.the-murray-a-niccolo.hotelsofhongkong.com/ja/ J J E E

公園の緑と光を感じるラグジュアリー空間

1.極上のベッドが置かれたスイート 2.モダンな洋食が楽しめるレストランPOPINJAYS 3.革新的なデザインの外観 4.コロニアルスタイルのアーチが目を引く 5.優雅に過ごせるガーデン・ラウンジ 6.屋内プールも完備している

有名香港デザイナーが設計

ザ・セントレジス香港

香港瑞吉酒店 The St. Regis Hong Kong ヒョンゴンソイガッザウディム

湾仔 MAP 付録P.15 E-3

マリオット・インターナショナルの最高級ブランドであるセントレジスが2019年に湾仔に誕生。24時間バトラー(執事)サービスがあり、さまざまな要望に応えてくれる。

☎2138-6888 交Ⓜ會展駅B3出口から徒歩4分 所港湾徑1 料HK$3500～ 室数127室 HP www.marriott.com/ja/hotels/hkgxr-the-st-regis-hong-kong/dining/ J J E E

伝統とモダンが融合した粋な大人のデザイン

1.リゾートホテルを思わせるプール＆バー 2.プレジデンシャルスイートのバスルーム 3.フィットネスクラブ 4.コンベンションセンターに近い利便性の良い立地 5.シックなグランドデラックスルーム 6.オリジナルカクテルが楽しめるバー

最上級のおもてなしを自分へのご褒美に…

憧れの超豪華! 5ツ星ホテル

古い歴史と現代のエネルギーを併せ持つ香港。ホテルも、コロニアルな格調高い宿から近未来的な豪華ホテルまで、多彩に揃う。

東洋と西洋が見事に融合。
ノスタルジックな魅力漂う至高の宿

ザ・ペニンシュラ香港

香港半島酒店 The Peninsula Hong Kong

尖沙咀 MAP 付録P.6 C-4

1928年に開業し、"東洋の貴婦人"と称されてきた格調高いラグジュアリーホテル。古き良き時代のオリエンタルな優雅さとホスピタリティを誇る。摩天楼を望むローマ様式の屋内プール、広さ1115㎡のスパ、受賞歴のある8軒のレストランやバーなど、施設も充実。

☎2920-2888(代) 交Ⓜ尖沙咀駅L3出口からすぐ 所梳士巴利道 料デラックスHK$6800～ほか 室数300室 HP peninsula.com/ja/hong-kong

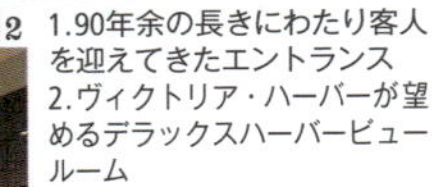

1.90年余の長きにわたり客人を迎えてきたエントランス
2.ヴィクトリア・ハーバーが望めるデラックスハーバービュールーム
3.天井が高く広々としたスーペリア・スイート

4.ホテルを代表する1ツ星レストラン嘉麟樓。極上の広東料理をぜひ味わってみて
5.ローマ様式の全長18mのプール。ホテルの8階に位置し、中環のビル群を見渡せる

ホテルステイのアドバイス

チェックインからチェックアウトまで

レセプションで、パスポートと予約確認書などを提示する。宿泊カードに住所などを記入し、部屋のキーを受け取る。このとき、クレジットカードか現金で保証金(デポジット)を支払う。何もなければ、チェックアウトの際に全額戻る。チェックアウト時の精算は日本円でも可能。

滞在中のマナーについて

日本とは違い、チップが必要。ポーターに荷物を運んでもらったら、荷物1個につきHK$5～10。ルームサービスやベッドメイキングは、1回HK$5～10。館内のトイレで、スタッフにペーパータオルなどを渡されたら、HK$2～5。また、ホテル内は基本的に全面禁煙なので注意。

スパやアフタヌーンティーもぜひ!

イギリス統治時代が約150年間続いた香港には、イギリスの文化が根付いている。アフタヌーンティーはその代表格。午後のひととき、ホテルでケーキやスコーンと一緒に紅茶を楽しむのも素敵。またラグジュアリーホテルでのスパは、洗練されたトリートメントを優雅に味わえる。

摩天楼にそびえ立つ新ランドマーク

ザ・リッツ・カールトン

香港麗思卡爾頓酒店 The Ritz-Carlton, Hong Kong

西九龍 MAP 付録P.19 B-4

ウォーターフロントホテルのなかでも最高層となる、490mの高層ホテル。312室の客室からはエネルギーに満ちた香港市街やヴィクトリア・ハーバーなど、壮大な景色を一望できる。非日常を味わいたい方におすすめ。

☎2263-2263(代) 交Ⓜ九龍駅C1出口から徒歩5分 所柯士甸道西1号 環球貿易広場 料デラックス・ルームHK$3800〜ほか 室数312室 HP www.ritzcarlton.com/ja

1.デラックス・ヴィクトリア・ハーバー・ルーム。調度品も景観も、すべてが最高　2.2ツ星の天龍軒で本場の広東料理に舌鼓
3.地上102階でいただく至福のイタリアンTOSKA

香港島を満喫するには最適の宿

マンダリン・オリエンタル

文華東方酒店 Mandarin Oriental Hong Kong

中環 MAP 付録P.13 E-3

1963年に開業した、歴史ある老舗ホテル。黒い大理石が用いられたロビーは重厚感があり、随所に飾られたアジアのアンティークが、落ち着きを醸し出している。夜には、ヴィクトリア・ハーバーと対岸の夜景が楽しめるのも魅力。

☎2522-0111(代) 交Ⓜ中環駅F出口から徒歩1分 所干諾道5号 料シティビューHK$3400〜ほか 室数501室 HP www.mandarin oriental.co.jp/hongkong

1.パノラミックな眺望が楽しめる客室
2.政治・経済の中心地、中環地区に位置する
3.マンダリン・ケーキ・ショップの極上スイーツ

香港の主要観光スポットめぐりに

グランド・ハイアット

香港君悅酒店 Grand Hyatt Hong Kong

湾仔 MAP 付録P.15 D-2

価格、快適さ、利便性のバランスが良く、ファミリーにも喜ばれているホテル。存在感のあるガラス張りの外観が目を引く。館内にはスパや24時間営業のフィットネス施設など、豊富な設備とサービスを揃えている。

☎2588-1234(代) 交Ⓜ灣仔駅A1出口から徒歩10分 所港湾道1号 料グランド・キングHK$3000〜 室数542室 HP www.hongkong.grand.hyatt.com/

1.おすすめは眺めのいいハーバービュールーム
2.全長50mの屋外温水プールでリゾート気分
3.ハイレベルなメインダイニングの港湾臺号

ホテルリスト

細やかなサービスでゲストをおもてなし

カオルーン・シャングリ・ラ

九龍香格里拉酒店 Kowloon Shangri-La
ガウウロンヒョンガッレイラーイザウディム
尖沙咀 MAP 付録P.7 E-3

客室はエレガントで広々としたつくり。ホテル内には和洋中の有名レストランが揃う。

☎2721-2111 交Ⓜ尖東駅P1出口から徒歩2分 所麼地道64号 料HK$1320～ 室数688室 HP www.shangri-la.com/jp/hongkong/kowloonshangrila/

日が差し込む明るい客室。プールやジムも利用できる

暮らすように滞在できる、安らぎのホテル

ジ・アッパーハウス

奕居 The Upper House
イェッゴイ
金鐘 MAP 付録P.14 B-3

地元デザイナーのアンドレ・フーによるスタイリッシュかつシンプルなデザインが人気。

☎3968-1000 交Ⓜ金鐘駅F出口から徒歩5分 所金鐘道88号太古広場 料HK$5280～ 室数117室 HP www.upperhouse.com/

JWマリオットと同じビル内にあるが入口は別

香港のランドマーク、ifcビルに直結

フォーシーズンズ

四季酒店 Four Seasons
セイクワイザウディム
中環 MAP 付録P.13 D-2

大きな窓のある開放的な客室でワンランク上の休日を過ごせる。レストランやスパも充実。

☎3196-8888 交Ⓜ香港駅E1出口直結 所金融街8号 料HK$4510～ 室数399室 HP www.fourseasons.com/jp/hongkong/

ナチュラルカラーを基調にした、モダンなインテリア

街なかにあるシックなブティックホテル

ザ・ランドマーク・マンダリン・オリエンタル・ホンコン

香港置地文華東方酒店 The Landmark Mandarin Oriental Hong Kong
ヂーディマンワードンフォンザウディム
中環 MAP 付録P.13 E-4

中環の中心にあり、買い物や観光に便利。広い客室には最新設備が完備されくつろげる。

☎2132-0188 交Ⓜ中環駅G出口から徒歩2分 所皇后大道中15号 料HK$4500～ 室数111室 HP www.mandarinoriental.co.jp/hong-kong/the-landmark/

高級店が立ち並ぶエリアにあるラグジュアリーホテル

ハーバーフロントに建つ、都心のリゾート

ケリーホテル

嘉里大酒店 Kerry Hotel
ガーレイザウディム
黄埔 MAP 付録P.5 D-3

ハーバーフロントに建つ高級デザイナーズホテル。レストラン、屋外バー、屋外プールもあり。

☎2252-5888 交Ⓜ黄埔駅C1出口から徒歩7分 所紅磡湾紅鸞道38号 料HK$1320～ 室数546室 HP www.shangri-la.com/jp/hongkong/kerry/

6割以上の客室から、ヴィクトリア・ハーバーが望める

絶好のロケーションで観光に便利

ザ ポッティンジャー

石板街酒店 The Pottinger
セッバンガーイザウディム
中環 MAP 付録P.13 D-3

石段のポッティンジャー・ストリートに立地。かわいらしい内装やホテル内のレストランが評判。

☎2308-3188 交Ⓜ中環駅D2出口から徒歩6分 所皇后大道中74号 料HK$1862～ 室数68室 HP www.sino-hotels.com/ja-jp/hk/the-pottinger-hong-kong

歴史地区にあるこぢんまりとしたブティックホテル

8つの名レストランが入店する高層ホテル

アイランド シャングリ・ラ

港島香格里拉酒店 Island Shangri-la
ゴンドウヒョンガッレイラーイザウディム
金鐘 MAP 付録P.14 A-3

アジアとヨーロピアンテイストが融合した趣ある客室が自慢。レストランやバーも充実。

☎2877-3838 交Ⓜ金鐘駅F出口から徒歩5分 所金鐘道88号太古広場二座 料HK$4500～ 室数565室 HP www.shangri-la.com/jp/hongkong/islandshangrila/

ゆとりのある客室からヴィクトリア・ハーバーを一望

駅直結、ショッピングモールへもすぐ

JW マリオット

JW萬豪酒店 JW Marriott
マンホウザウディム
金鐘 MAP 付録P.14 B-3

パシフィック・プレイスの上にあり買い物に便利。美しい客室には大理石のバスルームを完備。

☎2810-8366 交Ⓜ金鐘駅F出口から徒歩5分 所金鐘道88号太古広場 料HK$2800～ 室数608室 HP www.marriott.com/ja/hotels/hkgdt-jw-marriott-hotel-hong-kong/overview/

眺めの良い客室を多数用意。高層ビル群の夜景が美しい

STROLLING THROUGH MESMERISING MACAU

マカオ

もうひとつの旅に出る

Contents

出発前に知っておきたい

街はこうなっています！ マカオのエリア

どこに何がある？ どこで何する？

ポルトガル統治時代のタイル「アズレージョ」が街を飾る

中国本土と陸続きのマカオ半島と、その南に浮かぶ島からなるマカオ。車で南北を縦断してもわずか30分ほど。

ポルトガル風情が色濃く残る世界遺産の街並み

A マカオ半島

澳門半島 ● Macao

いわゆるダウンタウンエリア。中央から南西部が世界遺産が密集する「歴史市街地区」で、ポルトガル統治時代の面影を残すカラフルでフォトジェニックな美しい南欧風の街並みが続く。随所に顔を出す昔ながらの住宅街や中国建築もアクセントを添える。カジノや飲食店、ショップも多い。

グルメスポット「タイパ・ビレッジ」に注目

B タイパ

氹仔 ● Taipa

高層マンションが林立する新興住宅街でありながら、南部の「タイパ・ビレッジ」周辺には南欧風のタウンハウスが立ち並ぶ昔ながらの街並みが残る。ポルトガル・マカオ料理レストランやみやげ物店、近年は雑貨店やギャラリーも増え、旬の観光名所となっている。路地裏散策も楽しい。

ショーやカジノで盛り上がるエンタメ・シティ

C コタイ

路氹城 ● Cotai

かつて独立した島だったタイパ島とコロアン島の間の海を埋め立てて生まれたエリア。ラスベガスを思わせる外資系の巨大統合型リゾート施設が次々誕生。高級ホテルやカジノ、エンターテインメント施設、ショッピングモールなどが集まる。

都市の喧騒から隔絶されたひなびた漁村

D コロアン

路環 ● Coloane

マカオ最南端に位置する自然豊かな地。トレッキングコースやビーチ、ジャイアントパンダ館のほか、ひなびた漁村の風情を残す「コロアン・ビレッジ」が見どころ。教会や道教寺院が点在し、マカオ名物エッグタルト発祥の店もある。

まずはこれをチェック!
滞在のキホン

通貨や物価、アクセス方法など、基本をふまえて快適なマカオの旅をプランニングしよう。

マカオの基本

地域名(国名)
中華人民共和国マカオ(澳門)特別行政区
Macao

人口
約67万1522人
(2023年推計)

面積
約33.3㎢

国番号
853(電話のかけ方は→P.165)

言語
中国語(広東語)、ポルトガル語

宗教
仏教、道教、キリスト教など

政体
人民民主共和制
(一国二制度を適用)

香港からのアクセス

香港からフェリーでマカオへ

香港のフェリーターミナルは尖沙咀や上環のフェリーターミナルなど4カ所。チケットは事前予約のほか、当日購入も可能。

ターボジェット
上環~マカオ外港間は7:30~23:00まで運航。尖沙咀~タイパ間は1日1便。料金はマカオ行き・香港行きともにHK$175~。

コタイ・ウォーター・ジェット
上環~タイパ島間を30分~1時間間隔で運航する。料金はタイパ島行き・香港島行きともにHK$175~。

香港から港珠澳大橋でマカオへ

香港国際空港バス乗り場(B4)から「香港口岸」行きのバスに乗り、港珠澳大橋香港口岸で出国審査を済ませてから、港珠澳大橋をシャトルバスに乗って渡る方法も。シャトルバスは24時間運行しており、料金はHK$65~。所要時間は約45分。

物価&チップ

物価は日本とあまり変わらず、チップは不要

物価は平均的に日本とあまり変わらない。交通機関は日本より安く、食事も大衆食堂なら安く済む。カジノを含めて一般的にチップの習慣はなく、ホテルやレストランはサービス料が含まれている。特別なリクエストをした場合などはMOP10程度のチップを渡そう。

日本からの飛行時間

直行便は日本3都市から。4~6時間のフライト

成田・関空・福岡からマカオ航空の直行便が就航しており、所要時間は4~6時間。マカオ国際空港はタイパ島にあり、市街地までの距離は近い。直行便が多い香港国際空港を経由する選択肢もある。

マカオ国際空港 MAP 付録P.23 C-1

言語

基本は中国語(広東語)、ポルトガル語

マカオの公用語は中国語とポルトガル語。現地の人のほとんどは中国語の方言の広東語を話している。カジノやホテル、観光客の多いレストランやショップなどでは英語が通じる場合が多い。メモ帳があれば漢字を使った筆談でコミュニケーションがとりやすい。

為替レート&両替

1パタカ(MOP)=約20円。銀行、両替所を利用

カジノの両替所は24時間営業しており、レートはまちまちだが比較的良心的。レートが良いのは市内の銀行で、銀行によってもレートは異なる。パタカ(MOP)は日本や香港で両替できないため、マカオにいるうちに香港ドルや日本円に両替しておこう。

パスポート&ビザ

90日以内ならビザは不要

パスポートはマカオ到着時に残存有効期間が滞在日数以上あれば有効。観光目的で滞在90日以内ならビザは不要。ただし、マカオ出国用の予約済み航空券(または乗船券)を所持する必要がある。それ以上の滞在日数の場合は、ビザを申請する。

交通事情

タクシーや路線バスを利用して観光しよう

タクシーも日本に比べれば安い(初乗りMOP21、約420円)ので観光に利用したい。路線バスの運賃は一律MOP6(約120円)。おつりは出ないので小銭を準備しておくか、「マカオパス(日本のSuicaやPASMOと同様のICカード)」をコンビニで購入しておくと便利。

観光用コースも! ペディキャブに乗ってみよう

日本の人力車と自転車を合体させたような人力三輪車。客車は屋根付きなので雨でも安心。ペディキャブ運転手協会の公示料金(1時間MOP350、短距離ならMOP100~200)がある。人数や荷物によって変動するため、事前に確認を。

歴史を伝える名建築たちに出会う マカオの世界遺産を巡る

媽閣廟で売られている灯籠形のお守り、許願球

香港からフェリーで約1時間

南欧風の建物が随所に現存 独特の歴史が育んだ趣ある街

古今東西の文化が交錯するエキゾチックなマカオの街。その背景にはポルトガルの大きな影響がある。マカオが歴史の舞台に登場するのは、明朝がポルトガル人に永久居留権を与えた16世紀半ばのこと。定住したポルトガル人が街を形成し、教会をはじめとする多くの建物やインフラを建設。その後1887年に正式にポルトガルの植民地となり、1999年に中国に返還。返還後も南欧風情は人々の暮らしのなかに生き続け、中国と西洋が混じり合った独特の文化が今も息づいている。マカオ半島に残る歴史的建造物の多くが、2005年にユネスコ世界文化遺産に登録された。

街歩きアドバイス

22の建物と8つの広場がマカオ歴史市街地区としてユネスコ世界遺産に登録されている。多くがセナド広場周辺に集中し、1日あれば徒歩で巡ることができる。履き慣れた靴で出かけよう。

航海の安全を願うマカオ最大の廟

1 媽閣廟

媽閣廟 マァコッミウ

MAP 付録P.22 A-3

海の女神「阿媽(アマ)」を祀るマカオ最古の中国寺院。ポルトガル人が最初に上陸したのがこの付近であるとされ、広東語読みの「マァコッ」が今のマカオの名のルーツといわれている。

交セナド広場から車で10分 所媽閣廟前地 開8:00~18:00 休無休 料無料

風水上の位置も良く、パワースポットとされる

さまざまな建築様式が融合

2 鄭家屋敷

鄭家大屋 ジョンガァダイウク

MAP 付録P.22 A-3

中国の有名な思想家・鄭觀應(テイカンオウ)の屋敷跡。中国家屋に、真珠貝の窓枠や敷石などインドや西洋の様式が取り入れられている。

☎2896-8820 交セナド広場から徒歩15分 所龍頭左巷10号 開10:00~17:30 休水曜 料無料

中庭と長屋のある大邸宅。1881年に建てられた

マカオで最も古い教会のひとつ

3 聖ローレンス教会

聖老楞佐教堂
スィンロウレンジョカウトン

MAP 付録P.22 A-3

イエズス会によって16世紀半ばから後半に建てられ、1846年に再建された。ターコイズブルーの天井やクリーム色の壁、聖ローレンスのステンドグラスやシャンデリアが美しい。

↑別名風順堂。ポルトガル人が航海の安全を願った教会

☎2857-3760 交セナド広場から徒歩10分 所風順堂街 開7:00～18:00(土・日曜は～21:00) 休無休 料無料

中庭や図書館が見学できる

4 市政署

市政署 シーゼンチュ

MAP 付録P.22 A-3

1784年に築造された建物が当時のまま残され、現在も政府機関として使われている。中庭へ向かう途中の壁には、美しいアズレージョも残っている。マカオ政府の組織改編により、2019年より民政総署から名称変更した。

↑2階には図書館や小さなチャペルがある

交セナド広場からすぐ 所新馬路163号 開庭園、ギャラリー9:00～17:45、図書館13:00～20:00 休無休(図書館は日曜) 料無料

マカオを象徴する、街の中心地

5 セナド広場

議事亭前地 イースィーテンチンデイ

MAP 付録P.22 A-3

ポルトガル統治時代の面影を残す、マカオを代表する観光スポットのひとつ。美しいモザイク模様の石畳(カルサーダス)の広場を中心に、ピンクやイエローといったカラフルなコロニアル風の建物が並ぶ。古くから街の中心として栄え、今でも広場では旧正月のお祭りや公共のイベントなどが行われ賑わいをみせる。夜になるとライトアップされ、よりロマンティックな雰囲気に。

交マカオ外港フェリーターミナルから車で15分
所議事亭前地

→石畳は職人の手作業によるもの。週末だけでなく、常に観光客で大賑わい

珠海駅
聖ポール天主堂跡 8
恋愛巷
7 聖ドミニコ教会
松山ロープウェイ
聖アントニオ教会 9
福隆新街
10 ギア要塞
聖ローレンス教会 3
6 大堂(カテドラル)
キカジェラート
鄭家屋敷 2
5 セナド広場
市政署 4
南灣湖
マカオ・タイパ・ブリッジ
1 媽閣廟
西灣湖
0 500m
マカオ・タワー
タイパ

ちょっとひと休み

手作りの新鮮なジェラート

キカジェラート

熙佳意大利雪糕Kika Kika gelato

MAP 付録P.22 B-3

抹茶や玄米茶、ほうじ茶、桜、沖縄産の塩など、主に和の食材を使って毎日26種類のジェラートを手作り。すぐ近くのカテドラル広場にはベンチも。

↑桜など和の素材を厳選

☎2892-0957 交セナド広場から徒歩5分 所新馬路大堂巷11号地下A号舗 営11:00～21:00(金・土曜は～22:00) 休無休

→蘆家屋敷と同じストリートにあるテイクアウト店

↓色とりどりのジェラートが並ぶ

異国情緒あふれるマカオの歴史と文化にふれる

❖ 30の世界遺産
4世紀半にもわたりポルトガルの統治下にあったマカオ。当時の歴史ある建築物や広場30カ所はユネスコ世界遺産に登録されている。本書で紹介した以外には、18世紀半ばに建てられた聖ヨセフ修道院および聖堂や、19世紀後半に建てられた港務局大楼などがある。

❖ 美しい教会の数々
イエズス会によるキリスト教布教の中心地となり、アジアを管轄するマカオ司教区が開かれたため、この地には数多くの教会が建てられた。それらは今なお、荘厳な姿を見せている。

❖ アズレージョ
アズレージョとは、ポルトガルの伝統的な装飾絵タイルのこと。幾何学模様や景色などが描かれ、礼拝堂や建物の壁面などに飾られている。マカオではおみやげ用のアズレージョも人気。

❖ 石畳(カルサーダス)
ポルトガル由来の石畳。白やグレーの四角い石灰石を用いて生き物や幾何学模様などが描かれている。本国で発展したのは19世紀で、マカオの街に取り入れられたのは20世紀になってからだ。

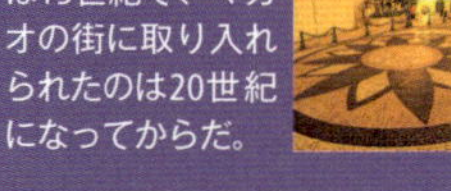

❖ 色鮮やかな建物たち
ポルトガル建築に影響を受けた、クリームイエローやピンクといったパステルカラーの建物たち。アジアにいながらヨーロッパを感じさせ、石畳とともに異国情緒豊かな街並みを形成している。

カトリック・マカオ教区の中心

6 大堂(カテドラル)

大堂(主教座堂) ダイトン(ジュカウゾォトン)

MAP 付録P.22 B-3

主教座を置く、マカオのカトリック教会の中心的な存在。ヨーロッパの聖堂を思わせる重厚な石造りの外観だが、内部は白壁にステンドグラスが映える穏やかな空間が広がる。

交セナド広場から徒歩5分 所大堂前地 開7:30～20:00 休無休 料無料

➡セナド広場に比べると訪れる人も少ない。静寂の教会で心を癒やして

見事なファサードとバラの聖母

7 聖ドミニコ教会

玫瑰堂 ムイクワイトン

MAP 付録P.22 A-3

クリームイエローの壁に施された白い漆喰彫刻(スタッコ)、バロック様式のファサードが素晴らしい。緑の格子窓、ドアとのコントラストも目を引く。

交セナド広場から徒歩4分 所板樟堂前地 開10:00～18:00 休無休 料無料

⬆バラの聖母が祀られバラの教会ともいわれる

ライトアップされた姿も壮観。建築には、弾圧を逃れた日本人キリスト教徒も携わったという

日本ともつながりのある、最も有名な世界遺産

8 聖ポール天主堂跡

大三巴牌坊 ダイサンバァバイフォン

MAP 付録P.22 B-3

1602～40年に建築された、聖パウロに捧げる大聖堂の遺跡。東洋一の規模と美しさを誇ったとされるが1835年に火災により焼失し、現在は5層からなるファサードなど一部が残るのみ。

交 セナド広場から徒歩10分 所 大三巴街 開 9:00～18:00(火曜は～14:00。最終入場は30分前まで) 休 無休 料 無料

彫像＆彫刻をチェック!

聖母マリア

3層目の中央に配され、祈りの天使たちがマリアの周りを取り囲む

ザビエル

2層目には4人の聖者と福者が並ぶ。ザビエルは向かって右から2番目

少年イエス

4層目の中央。周りには茨の冠など受難の品々が彫られている

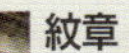

紋章

1層目は入口を表現。イエズス会の紋章も彫刻されている

現在の教会は1930年に再建されたもの

花で彩られた、別名花王堂

9 聖アントニオ教会

聖安多尼教堂 スィンオンドォネイカウトン

MAP 付録P.22 A-2

聖ローレンス教会と並ぶマカオで最も古い教会のひとつ。結婚を司る聖人、聖アントニオを祀っているため、結婚式を挙げるカップルも多い。内部は白い壁とクリーム色の天井が落ち着いた雰囲気。前庭の十字架にはユダヤの王を意味する「INRI」の文字が刻印されている。

交 セナド広場から徒歩15分 所 花王堂前地 開 8:30～12:30、15:00～18:00 休 無休 料 無料

マカオ半島で最も高い丘にある砦

10 ギア要塞

東望洋炮台 トンモンヤンパウトイ

MAP 付録P.22 B-3

1622～38年に築かれた要塞。頂上には同時期建立のギア教会と19世紀の灯台がある。教会に残るフレスコ画は、西洋と東洋のテーマを扱っておりマカオの融合文化を象徴している。

交 セナド広場から車で5分 所 東望洋山 開 9:00(教会10:00)～18:00 休 無休 料 無料

教会と灯台が並ぶ。市街を望む眺めもいい

併せて行きたい!

写真映えする福隆新街と恋愛巷。ストリートを背景に記念撮影を。

福隆新街

福隆新街 フッルンサンガイ

MAP 付録P.22 A-3

赤い格子窓の建物が並ぶかつての花街。フォトジェニックだと近年話題に。

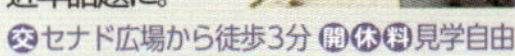

交 セナド広場から徒歩3分 開 休 料 見学自由

恋愛巷

戀愛巷 ルンオイホン

MAP 付録P.22 B-3

聖ポール天主堂跡のすぐ近く。通称恋愛通りといわれ、カップルに人気。

交 セナド広場から徒歩10分 開 休 料 見学自由

気さくなオーナーシェフの店
アントニオ
安東尼奥 António
タイパ MAP 付録P.23 A-2

マカオ随一の知名度と人気を誇るポルトガル料理レストラン。ポルトガル人オーナーシェフ・アントニオさんのアレンジ料理が評判だ。日によってポルトガル民謡のギター生演奏があり、ディナータイムを盛り上げる。

☎2888-8668 交セナド広場から車で20分 所氹仔旧城区木鏟街7号 営11:30〜23:30 休無休

←レトロな一軒家をリノベーション

蟹肉釀蟹蓋（冷）
Stuffed Crab Meat in a Shell
カニ肉を甲羅に詰めたオリジナルレシピ。温と冷から選べる MOP195

スパイス香る！古今東西の食文化の融合
マカオの名物グルメ2店
ポルトガル人が来航し、貿易港として発展したマカオ。広東や福建、さらにはインドの要素もある奥深い料理をワインとともにいただこう。

マカオ料理とポルトガル料理
大航海時代、ポルトガル人はアフリカやインドを経由してこの地に来航した。そのためマカオでは、オイスターソース、カレー粉、ココナッツミルクなど多彩な香辛料・調味料でポルトガル料理をアレンジし、独自のグルメが発展した。カニを煮込んだカレークラブや、スパイシーなアフリカンチキン、塩漬けの干しダラ・バカリャウ料理が代表的だ。ちなみに本国ポルトガル料理は、魚介類をシンプルに味付けした素朴なものが多い。

1903年創業の老舗
仏笑楼
佛笑樓 ファッシウラウ
マカオ半島 MAP 付録P.22 A-3

定番のマカオ料理をフルでラインナップ。ベテランスタッフによる創業から変わらない高品質な味とサービスに定評があり、世代を超えて訪れる常連客も多い。かつての花街、福隆新街にありレトロな外観や内装も人気。

☎2857-3585 交セナド広場から徒歩5分 所福隆新街64号 営12:00〜15:00、17:30〜22:00 休無休

葡式咖喱炒蟹
Curry Crab
濃厚な味わいを楽しむカニのカレーソース煮込み 時価

↑2階はモダンな雰囲気

エキゾチック&キュートなアイテム揃い!

マカオのとっておきみやげ

世界遺産の街並みをあしらったものや、ポルトガル本国から取り寄せたここにしかない一品。南欧の趣を感じる雑貨や日用品を、旅の思い出に。

アクリルナイトランプ
各MOP180
マカオの有名観光名所をテーマに、ハローキティとコラボ

カードケース
各MOP128
マカオらしい、アズレージョの幾何学模様を取り入れたケース

コースター
各MOP38
世界遺産の街並みやタイル模様を描いたコースター。飾り物にもいい

文具から雑貨、食品系まで

オームーン

O-Moon

タイパ MAP 付録P.23 B-2

地元の若手デザイナーらが立ち上げたおみやげブランド。マカオ独自の文化をベースにした、オリジナリティあふれる多様な商品をラインナップしている。現在マカオに4店舗を展開。いずれも観光名所に近く便利。

☎2830-9864 交マカオ国際空港からバスで30分 所氹仔告利雅施利華街22号 営10:00～22:00 休無休 E

ブランド名はオームーン(マカオ)と満月をかけたもの

自販機で買える!
プチプラマカオみやげ

ミート・マカオ

遊覓澳門 Meeet Macao

MAP 付録P.22 A-4

マカオの文化遺産や季節のイベントをモチーフにしたステーショナリーや生活雑貨が購入できる。コレクションして飾っておきたいものばかり。

所南湾新填海区D区域1号澳門旅遊塔 E

カップカバーMOP50とコースターMOP35

マカオの文化遺産をモチーフにしたバゲージタグMOP70

ギア要塞の3DポストカードMOP10

自販機そのものも目立つデザイン

媽閣廟のマグネットMOP35

食べて、遊んで、泊まって。時間が経つのを忘れて楽しむ

遊び心を刺激する、マカオの巨大IR BEST 7

かつてマカオのエンタメといえばカジノだったが、それももはやひと昔前の話。近年は次々と大型IRがコタイ地区に出現し、マカオは世界的なシティリゾートに進化している。

知っておきたいIRのコト

IRって何？
Integrated Resortの略。高級ホテルやレストラン、ショッピングモール、プール、映画館など多様なレジャー、娯楽施設を一体化した統合型リゾートのこと。マカオでは2002年の1社から6社体制化により、外国資本の超大型施設が次々とオープンしている。

IRを楽しむコツ
IRは宿泊、食事、買い物、遊びのすべてができる巨大テーマパーク。ひとつのIRで一日中過ごすのもいいし、各IRのショッピングモールなどをはしごして楽しむのもおすすめ。カジノを目的としないファミリーでも、思い思いの豪華なバカンスが過ごせる。

無料送迎バスを賢く活用！
各IRが無料の送迎シャトルバスを運行しており、宿泊客でなくても利用できる。さらに大型IR間を結ぶ「コタイ・コネクション」ならIRの相互往来が可能。深夜と早朝以外は運行しており、観光にも便利。

ザ・ロンドナー・マカオ
澳門倫敦人 The Londoner Macao
MAP 付録P.23 B-2
☎2886-6888 所路氹連貫公路澳門金沙城中心 HP www.londonermacao.com/

↑サンズ コタイが全面リニューアル

グランド・リスボア・パレス
Grand Lisboa Palace
MAP 付録P.23 C-2
HP www.grandlisboapalace.com

→マカオの老舗カジノが開業する新施設

ひとつの都市を思わせる
ゴージャスなメガリゾート

ギャラクシー・マカオ
澳門銀河 Galaxy Macau
コタイ MAP 付録P.23 A-2

東京ドーム20棟分以上もの広大な敷地に、施設の名物であるプールや約200のショップ、100を超える飲食店やカジノを備える。黄金色であしらわれた建物には5つの高級リゾートホテルがあり、日本人にも人気。

☎2888-0888 交マカオ国際空港から車で5分 所路氹城澳門銀河綜合渡假城
HP www.galaxymacau.com/

←マカオでひときわ目を引く大型施設

まだある注目の施設はこちら

- ホテル ギャラクシー・ホテル
- ホテル ホテルオークラマカオ
- エンタメ UAギャラクシーシネマズ
- カフェ チャベイ
- ショップ ザ・プロムナード
- スパ バンヤンツリースパ

グランド・リゾート・デッキ Grand Resort Deck

ホテル棟に囲まれたリゾートプール。世界最大の流れるプールや人工ビーチがあり宿泊客は無料で利用できる。

営10:30〜18:30 休冬季 料チケットMOP468(宿泊者は無料、宿泊客の友人2人まで各MOP250で利用可)

必見！

フォーチュン・ダイヤモンド Fortune Diamond

水と光の豪華なショー。巨大なダイヤモンドが噴水とともに登場する。エントランスロビーで開催、ショーは7分ほど。

営10:00〜24:00の間で30分ごとに開催 休無休 料無料

ザ・ベネチアン・マカオ

澳門威尼斯人 The Venetian Macao

コタイ MAP 付録P.23 B-2

ベネチアの街並みをモチーフに作られた巨大カジノリゾート。約3000ある客室はすべてがスイートで、宮殿のようなロビーにも圧倒される。ショッピングモールには300以上の店舗が並び、高級ブランドも入店。

☎2882-8888 交マカオ国際空港から車で6分 所望德聖母灣大馬路 HP jp.venetianmacao.com/

豪華絢爛な建物にうっとり
買い物やグルメも楽しんで

まだある注目の施設はこちら

- ホテル ザ・ベネチアン・マカオ
- ショップ ショップス・アット・ベネチアン

ゴンドラ・ライド Gondola Ride

必見!

マカオ最大規模の屋内ショッピングゾーンに運河が流れ、ベネチアのようなゴンドラ体験ができる。

営11:00〜22:00(運河により異なる) 休無休 料MOP158(チケットはブティックゴンドラなどで購入可)

粤品軒 Pin Yue Xuank

洗練された広東料理を提供。伝統的な中国の四合院様式の中庭の優雅で落ち着いた空間で革新的な料理や点心が楽しめる。

☎8118-8822 営11:00〜15:00、18:00〜23:00 休水曜

ウィン・パレス・コタイ

永利皇宮 Wynn Palace Cotai

コタイ MAP 付録P.23 B-2

館内には花々が咲き誇り、いたるところに希少な芸術品が飾られている。音楽と光と水が織りなすパフォーマンス・レイクの噴水ショーも圧巻。客室や建物前のゴンドラも、施設名のとおり宮殿を彷彿させる優雅さ。

☎8889-8889 交マカオ国際空港から車で6分 所路氹体育館大馬路 HP www.wynnpalace.com/jp

花をテーマにした
エレガントな宮殿へ

ウィンレイ・パレス Wing Lei Palace

金と翡翠色で彩られた、宮廷のような広東料理レストラン。7室のプライベートダイニングルームを完備。

☎8889-3663 営11:30〜15:00(日曜、祝日10:30〜15:30)、17:30〜22:30 休無休

必見!

ザ・スパ・アット・ウィン・パレス The Spa at Wynn Palace

マカオ最大の広さを誇るスパ。セラピストによる個室トリートメントや巨大なジャクジーなど、至福の時間を過ごすことができる。

営11:00〜21:00 休無休 料コースにより異なる

まだある注目の施設はこちら

- エンタメ スカイキャブ
- エンタメ パフォーマンス・レイク
- ショップ ザ・エスプラネード
- カフェ パレス・カフェ
- ホテル ウィン・パレス・コタイ

ザ・パリジャン・マカオ

澳門巴黎人 The Parisian Macao

コタイ MAP 付録P.23 B-2

実物の2分の1サイズに造られたエッフェル塔がランドマーク。広大な屋外プールデッキやシャンゼリゼ通りをイメージしたショッピングエリア、エスプリ漂うフランス風の客室など各所にフレンチムードが満載。

☎2882-8833 交マカオ国際空港から車で6分 所路氹金光大道連貫公路 HP www.parisianmacao.com/

まだある注目の施設はこちら

- プール アクアワールド
- ホテル ザ・パリジャン・マカオ
- グルメ ロータス・パレス

パリを再現したリゾートで異国情緒を体感

ショップス・アット・パリジャン

Shops at Parisian

150を超えるショップやレストランが並び、シャンゼリゼ通りを散歩する感覚で買い物が楽しめる。ザ・ベネチアン・マカオに直結。

営10:00～23:00(金・土曜は～24:00) 休無休

必見!

エッフェル塔 Eiffel Tower

7階と37階の展望台からはコタイ地区全体が見下ろせる。毎晩18時15分から24時まで15分おきにライトアップされる姿がロマンティック。

☎8111-2763 営11:00～23:00 休無休 料MOP75

シティ・オブ・ドリームス

新濠天地 City of Dreams

コタイ MAP 付録P.23 B-2

スタイリッシュな4つのホテルと大きなカジノがある。世界の高級ブランドブティックが並ぶショッピングアーケードをはじめ、水上ショーやキッズ向け施設など家族で楽しめるエンターテインメント要素も充実。

☎8868-6688 交マカオ国際空港から車で10分 所路氹連貫公路 HP www.cityofdreamsmacau.com/

斬新なホテルが注目の的 大人も子どもも大満足の夢の都市

モーフィアス・スパ Morpheus Spa

2018年に開業した話題の豪華ホテル、モーフィアス内にある。ヘアケアやネイルサービスもラインナップ。

☎8868-3098 料コースにより異なる HP www.cityofdreamsmacau.com/en/enjoy/spa/morpheus-spa

ジェイド ドラゴン

jade Dragon

必見!

広東料理の最高峰を誇り、多数の受賞歴のあるレストラン。世界中から集めたオーガニック素材を使った料理が並ぶ。優雅な内装にも注目。

☎8868-2822 営12:00～15:00、18:00～22:30 休無休

まだある注目の施設はこちら

- エンタメ クラブ・キュービック
- エンタメ キッズ・シティ
- ショップ Tギャラリア
- カフェ ピエール・エルメ・ラウンジ
- ホテル グランド・ハイアット・マカオ

MGMコタイ

美獅美高梅 MGM Cotai

コタイ MAP 付録P.23 B-2

金銀銅の宝石箱を積み重ねたような外観が印象的。ホテル内にはアート作品が多数展示され、まるで美術館にいるかのよう。多目的シアターや高級レストラン、ショッピングアーケード、カジノなども併設している。

☎8806-8888 交マカオ国際空港から車で5分 所路氹体育館大馬路 HP www.mgm.mo/zh-hant/cotai

バー・パトゥア Bar Patua

オリジナルカクテルが味わえるくつろぎのバー。東洋と西洋をミックスしたインテリアも素敵。

☎8806-2398 営15:00～24:00 休無休

ファイブ・フット・ロード FIVE FOOT ROAD

ミシュラン 1 ツ星の四川・成都料理。店内には中国からの調度品や風景画が飾られ、華やかな雰囲気。

☎8806-2358 営12:00～15:00、18:00～22:00

まだある注目の施設はこちら

- ホテル MGMコタイ
- ショップ ジャニス・ウォン マカオ
- グルメ グリル58
- カフェ スターバックス リザーブ
- スパ トリアスパ

ザ・ロンドナー・マカオ

澳門倫敦人 The Londoner Macao

コタイ MAP 付録P.23 B-2

コタイ地区の中心に位置する統合型リゾート。英国ロンドンを再現し、宿泊施設からレストラン、エンターテインメントまでロンドンの魅力を集結。ザ・ロンドナー・ホテルは全室スイートタワー。

☎2882-2878 交マカオ国際空港から車で10分 所路氹連貫公路澳門金沙城中心 HP jp.londonermacao.com/

コタイ観光の拠点にしたい
グルメも充実の複合施設

まだある注目の施設はこちら

- ホテル シェラトングランドマカオ
- ホテル セントレジス・マカオ・コタイセントラル
- ショップ ショップス・コタイ・セントラル

プール Pool

それぞれのホテルにプールが備わる。シェラトンには3つあり、リゾート気分に浸ることができる。

所シェラトングランドマカオ内
営休季節により異なる
料無料（宿泊者のみ利用可）

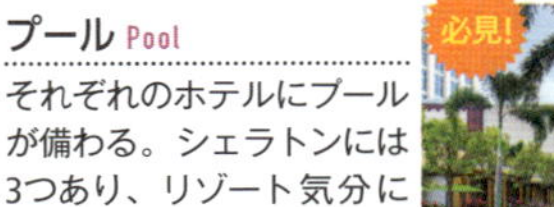

フィースト Feast

ポルトガル＆マカオ料理を含むアジアン料理をビュッフェスタイルで楽しめる。夜は海鮮料理もおすすめ。

☎8113-1200 営7:00～13:00、18:00～22:00 休無休

ホテルもこだわって、思い出に残るステイを!

マカオの豪華ホテルリスト

世界有数の観光地であるマカオに並ぶ高級ホテルの数々。心地よい滞在が、旅の思い出をよりよいものにしてくれる。

早めの予約が肝心!

マカオではホテルの建設ラッシュが続いており、とりわけコタイ地区の発展はめざましい。大型IRの増加に伴い観光客の数も増え、ホテルの稼働率は90%を超えている。現在マカオには100軒を超えるホテルがあるが、できれば早めの予約がおすすめだ。

全室スイートのラグジュアリー・ホテル

ザ・リッツ・カールトン・マカオ

澳門麗思卡爾頓酒店 The Ritz-Carlton, Macau ★★★★★

コタイ MAP付録P.23 A-2

☎8886-6868 交セナド広場から車で15分 所ギャラクシー・マカオ(→P.160)内 料ⓈⓉHK$4900～ 室数254室 HP www.ritzcarlton.com/en/hotels/mfmmr-the-ritz-carlton-macau/overview/ 日本での予約先☎0120-853-201

美食レストランや豪華なスパを併設

JWマリオット・ホテル・マカオ

澳門JW萬豪酒店 JW Marriott Hotel Macau ★★★★★

コタイ MAP付録P.23 A-2

☎8886-6888 交セナド広場から車で15分 所ギャラクシー・マカオ(→P.160)内 料ⓈⓉHK$1557～ 室数1015室 HP www.marriott.co.jp/hotels/travel/mfmjw-jw-marriott-hotel-macau/ 日本での予約先☎0120-142-536

奇抜な外観とゴージャスなもてなしに圧倒

モーフィアス

摩珀斯 Morpheus ★★★★★

コタイ MAP付録P.23 B-2

☎8868-8888 交セナド広場から車で15分 所シティ・オブ・ドリームス(→P.162)内 料ⓈⓉMOP3000～ 室数780室 HP www.cityofdreamsmacau.com/en/stay/morpheus 日本での予約先なし

エキサイティングな水上ショーも楽しみ

グランド・ハイアット・マカオ

澳門君悦酒店 Grand Hyatt Macau ★★★★★

コタイ MAP付録P.23 B-2

☎8868-1234 交セナド広場から車で15分 所シティ・オブ・ドリームス(→P.162)内 料ⓈⓉHK$1179～ 室数791室 HP www.hyatt.com/ja-JP/hotel/china/grand-hyatt-macau/macgh 日本での予約先☎0800-222-0608

全室バトラーサービス付きの優雅なホテル

セントレジス・マカオ・コタイセントラル

澳門瑞吉金沙城中心酒店 The St. Regis Macao, Cotai Central ★★★★★

コタイ MAP付録P.23 B-2

☎2882-8898 交マカオ国際空港から無料シャトルバスで5分 所ザ・ロンドナー・マカオ(→P.163)内 料ⓈⓉMOP1598～ 室数400室 HP www.marriott.com/en-us/hotels/mfmxr-the-st-regis-macao/overview 日本での予約先☎なし

シックでモダン、心安らぐ客室

マンダリン・オリエンタル・マカオ

澳門文華東方酒店 Mandarin Oriental, Macau ★★★★★

マカオ半島 MAP付録P.22 B-4

☎8805-8888 交セナド広場から車で10分 所孫逸仙大馬路945号 料デラックス・シティビューHK$2000～ 室数213室 HP www.mandarinoriental.com/ja/macau/one-central 日本での予約先☎0120-663-230

きらびやかな外観はマカオの街の象徴

グランド・リスボア・マカオ

澳門新葡京酒店 Grand Lisboa Macau ★★★★★

マカオ半島 MAP付録P.22 B-3

☎2828-3838 交セナド広場から徒歩10分 所葡京路 料ⓈⓉMOP1288～ 室数426室 HP www.grandlisboa.com/en 日本での予約先☎なし

市街地に立地し、世界遺産散策に最適

ソフィテル・マカオ・アット・ポンテ16

澳門十六浦索菲特大酒店 Sofitel Macau at Ponte 16 ★★★★★

マカオ半島 MAP付録P.22 A-3

☎8861-0016 交セナド広場から徒歩10分 所巴素打爾古街 料スーペリアルームHK$980～ 室数408室 HP www.sofitelmacau.com 日本での予約先なし

米国の老舗ホテルによるアジア初の姉妹ホテル

マカオ・ルーズヴェルト

澳門羅斯福酒店 The Macau Roosevelt ★★★★★

タイパ MAP付録P.23 A-1

☎2882-0100 交マカオ国際空港から車で6分 所氹仔東亞運大馬路 料ⓈⓉMOP1403～ 室数368室 HP www.themacauroosevelt.com/#/home/ 日本での予約先なし

ハイセンスなオールスイートの客室

アルティラ・マカオ

澳門新濠鋒酒店 Altira Macau ★★★★★

タイパ MAP付録P.23 A-1

☎2886-8888 交マカオ国際空港から車で5分 所氹仔廣東大馬路 料ⓈⓉMOP1723～ 室数216室 HP www.altiramacau.com/ 日本での予約先なし

TRAVEL INFORMATION

旅の基本情報

旅の準備

パスポート(旅券)

旅行の予定が決まったら、まずはパスポートを取得。各都道府県、または市区町村のパスポート申請窓口で取得の申請をする。すでに取得している場合も、有効期限をチェック。香港入国時には、1カ月以内の滞在は入国時1カ月+滞在日数以上、1カ月以上の滞在は入国時に3カ月以上有効なパスポートが必要となる。

ビザ(査証)

香港入国に際して、90日以内の観光目的で、出国用航空券があれば、ビザは不要。ビザ免除の場合、滞在期間の延長は不可。

海外旅行保険

海外で病気や事故に遭うと、思わぬ費用がかかってしまうもの。携行品の破損なども補償されるため、必ず加入しておきたい。保険会社や旅行会社の窓口やインターネットで加入できるほか、簡易なものであれば出国直前でも空港にある自動販売機でも加入できる。クレジットカードに付帯しているものもあるので、補償範囲を確認しておきたい。

日本から香港への電話のかけ方

国際電話会社の電話番号 → 010(国際電話の識別番号) → 852(香港の国番号) → 相手の電話番号

※日本からマカオにかける場合は、国番号を「853」に

荷物チェックリスト

◎	パスポート	
◎	パスポートのコピー(パスポートと別の場所に保管)	
◎	現金	
◎	クレジットカード	
◎	航空券	
◎	ホテルの予約確認書	
◎	海外旅行保険証	
◎	ガイドブック	
	洗面用具(歯磨き粉・歯ブラシ)	
	常備薬・虫除け	
	化粧品・日焼け止め	
	着替え用の衣類・下着	
	冷房対策用の上着	
	水着	
	ビーチサンダル	
	雨具・折り畳み傘	
	帽子・日傘	
	サングラス	
	変換プラグ	
	携帯電話・スマートフォン/充電器	
	デジタルカメラ/充電器/電池	
	Wi-Fiルーター	
	ウェットティッシュ	
△	スリッパ	
△	アイマスク・耳栓	
△	エア枕	
△	筆記具	

◎必要なもの　△機内で便利なもの

入境・出境はあわてずスマートに手続きしたい!

スムーズな出入境に備えて事前にシミュレーション! 荷物や申請に不備などないか確認しておくとより安心。

香港入境

① 入境審査

「訪港旅客/VISITOR」と書かれた香港居住民以外のカウンターに並び、パスポートと入境カードを提出。出入境カードは機内で配られるのであらかじめ記入しておこう。審査が終わると出境カード(入境カード複写の2枚目)とパスポートが返却され、入境日やパスポート番号が記されたスリップという小さな紙が交付される。出境カードは香港出境時に必要なので、なくさないよう大切に保管しておこう。

② 預けた荷物の受け取り

搭乗便の荷物が出てくるターンテーブルの番号を電光掲示板で確認し、該当のターンテーブルへ。日本を出国する際に預けたスーツケースなどの荷物を受け取る。万が一荷物が見つからない場合は荷物引換証(クレーム・タグ)を持って係員に相談しよう。

③ 税関手続き

税関カウンターで荷物検査を受ける。免税範囲を超えて物品を持ち込む場合は申告物品通路(赤色の通路「Goods to declare」)に、免税範囲内は緑色の通路(「Nothing to declare」)に並ぶ。

香港入境時の免税範囲

アルコール類	30度を超えるアルコール飲料1ℓ(22度以下のアルコール飲料は2ℓ)
たばこ	紙巻たばこ19本、葉巻1本または25g、そのほかのたばこ25gのいずれか1種
現金	12万HK$以上の現金等 (現金、小切手、約束手形、無記名債券、トラベラーズチェック、為替、郵便為替)

※アルコール類、たばこは18歳以上のみ

出入境カードの記入例

機内で書いておきたい。ペンは必携

入境カード(1枚目)

IMMIGRATION DEPARTMENT HONG KONG
香港入境事務處
ARRIVAL CARD 旅客抵港申報表
All travellers should complete this card except Hong Kong Identity Card holders
除香港身份證持有人外，所有旅客均須填寫此申報表
ID 93 (1/2006)
IMMIGRATION ORDINANCE (Cap. 115)
入境條例[第115章]
Section 5(4) and (5)
第5(4)及(5)條

Family name (*in capitals*) 姓(請用正楷填寫) ❶
Sex 性別 ❸
Given names (*in capitals*) 名(請用正楷填寫) ❷
Travel document No. 旅行證件號碼 ❹
Place and date of issue 發出地點及日期 ❺
Nationality 國籍 ❻
Date of birth 出生日期 ❼ day 日 / month 月 / year 年
Place of birth 出生地點 ❽
Address in Hong Kong 香港地址 ❾
Home address 住址 ❿
Flight No./Ship's name 班機編號/船名 ⓫
From 來自 ⓬
Signature of traveller 旅客簽署 ⓭
Please write clearly 請用端正字體填寫
Do not fold 切勿摺疊
TZ078690

入境カードの複写になっています

出境カード(2枚目)

IMMIGRATION DEPARTMENT HONG KONG
香港入境事務處
DEPARTURE CARD 旅客離港申報表
All travellers should complete this card except Hong Kong Identity Card holders
除香港身份證持有人外，所有旅客均須填寫此申報表
ID 93 (1/2006)
IMMIGRATION ORDINANCE (Cap. 115)
入境條例[第115章]
Section 5(4) and (5)
第5(4)及(5)條

Family name (*in capitals*) 姓(請用正楷填寫)
Sex 性別
Given names (*in capitals*) 名(請用正楷填寫)
Travel document No. 旅行證件號碼
Place and date of issue 發出地點及日期
Nationality 國籍
Date of birth 出生日期 day 日 / month 月 / year 年
Place of birth 出生地點
Address in Hong Kong 香港地址
Home address 住址
Flight No./Ship's name 班機編號/船名 ⓮
Destination 目的地 ⓯
Signature of traveller 旅客簽署 ⓰
Please retain in passport 請留在護照之內
Do not fold 切勿摺疊
TZ078690

❶ 姓(ローマ字で記入)
❷ 名(ローマ字で記入)
❸ 性別(男性:Male・女性:Female)
❹ パスポート番号
❺ パスポート発行の日付と場所
❻ 国籍
❼ 生年月日(日・月・西暦)
❽ 出生地
❾ 宿泊先のホテル名
❿ 日本の現住所
⓫ 入境時の搭乗便名
⓬ 搭乗場所(出発地)
⓭ 自筆サイン
⓮ 出境時の搭乗便名
⓯ 搭乗場所(到着地)
⓰ 自筆サイン

出発前に確認しておきたい！

Webチェックイン

搭乗手続きや座席指定を事前にWebで終わらせておくことで、空港で荷物を預けるだけで済み、当日の搭乗までの手続きを大幅に時間短縮できる。出発時刻の48時間前からチェックインが可能(航空会社により異なる)。モバイル端末(スマホなど)を利用する場合は印刷不要。iPhone向けアプリケーションWallet(Passbook)をダウンロードしておき、モバイル搭乗券を端末に保存しておこう。Webチェックイン(PCなどから)では、電子搭乗券をA4サイズの用紙に印刷して持参しよう。

◆Wallet(Passbook)登録方法
・JAL…www.jal.co.jp/k-tai/appli/passbook/
・ANA…www.ana.co.jp/pr/12_0709/12-114.html
◆対応機種
iOS 6以降を搭載するiPhone・iPod touch端末

飛行機内への持ち込み制限

◉**液体物**　100mℓ(3.4oz)を超える容器に入った液体物はすべて持ち込めない。100mℓ以下の容器に小分けにしたうえで、ジッパー付きの透明なプラスチック製袋に入れる。免税店で購入したものは100mℓを超えても持ち込み可能だが、乗り継ぎの際に没収されることがある。

◉**刃物**　ナイフやカッターなど刃物は、形や大きさを問わずすべて持ち込むことができない。
◉**電池・バッテリー**　100Whを超え160Wh以下のリチウムを含む電池は2個まで。100Wh以下や本体内蔵のものは制限はない。160Whを越えるものは持ち込み不可。
◉**ライター**　小型かつ携帯型のものを1個まで。

荷物の重量制限

利用する航空会社によって預け入れが可能な荷物の大きさや重さ、個数の制限が異なるので、詳細は事前に各航空会社の公式HPなどで確認しよう。制限を超えると追加料金が必要となるので要注意。

ロストバゲージしたら

万が一預けた手荷物が出てこなかったり、破損していたりした場合には荷物引換証(クレーム・タグ)を持って受取場内にあるカウンターに出向く。次の旅程やホテルの連絡先などを所定の用紙に記入するか係員に伝えて、届けてもらうなどの処置依頼を交渉しよう。

香港出境

① チェックイン

航空会社のカウンターでパスポートと航空券を提示し、荷物を預けて搭乗券と荷物引換券(クレーム・タグ)を受け取る。香港入境時に受け取った出境カードに必要事項が記入されているか事前にチェックしよう。

インタウンチェックイン

エアポートエクスプレスの香港駅、九龍駅、青衣駅には、空港で行うチェックイン手続きができる航空会社のカウンターがあり、キャセイパシフィック航空と香港エアラインで実施している。駅に設置されたカウンターへエアポートエクスプレスのチケットまたはオクトパス・カードを通して進み、機内預かりの荷物を預けて搭乗券を受け取る。受付時間は利用便の出発時刻の24時間前～90分前まで(利用する航空会社によって異なる)。カウンターは6:00～23:00まで開いている。

② 出境審査

パスポートと香港出境カード、搭乗券を提示。出境カードはここで回収される。

③ 搭乗

搭乗時間に合わせてゲートへ。遅刻すると待たずに出発されてしまうので、時間厳守で！搭乗時にパスポートの提示を求められることもあるので手元に用意しておこう。

日本帰国時の免税範囲

アルコール類	1本760mℓ程度のものを3本
たばこ	紙巻たばこ200本、葉巻たばこ50本、その他250g、加熱式たばこ個装等10個のいずれか。
香水	2oz(オーデコロン、オードトワレは含まない)
その他物品	海外市価1万円以下のもの。1万円を超えるものは合計20万円まで

※アルコール類、たばこは20歳以上のみ

日本への主な持ち込み禁止・制限品

持ち込み禁止品	麻薬類、覚醒剤、向精神薬など
	拳銃などの鉄砲、弾薬など
	ポルノ書籍やDVDなどわいせつ物
	偽ブランド商品や違法コピー
	DVDなど知的財産権を侵害するもの
	家畜伝染病予防法、植物防疫法で定められた動植物とそれを原料とする製品
持ち込み制限品	ハム、ソーセージ、10kgを超える乳製品など検疫が必要なもの
	ワシントン国際条約の対象となる動植物とそれを原料とする製品
	猟銃、空気銃、刀剣など
	医療品、化粧品など

香港国際空港

Hong Kong International Airport

香港国際空港は、香港市内から約35km離れたランタオ島北部にある。マカオ行きのフェリーカウンターもあり、香港国際空港からマカオのフェリーにそのまま乗り継ぐ場合はここでチェックイン手続きを行う。待合スペースには充電スポットがあるので充電切れの心配もなし。 空港内では、 無料Wi-Fi(#HKAirport Free WiFi)が無制限で使用できる。エアポートエクスプレスも同じ香港国際空港駅で降りる。

ターミナル間の移動

第1ターミナルと第2ターミナルは近いので歩いて移動できる。出国手続き後の制限エリアは第1ターミナルも第2ターミナルもつながっており、第2ターミナルで出国手続きをしたあと、シャトルで第1ターミナルに移動できる。

MAP 付録P.2 B-3

第1ターミナル

香港国際空港のメインターミナルで、日本から香港国際空港への到着時は、どの航空会社も第１ターミナルに到着する。チェックインフロアは最上階のL7。レストランやショップが充実しているので、帰国の際におみやげを買うのにおすすめ。

航空会社 日本航空(JAL)、全日本空輸(ANA)、エアージャパン、Peach Aviation(ピーチ)、キャセイパシフィック航空、香港航空など

アジア各国と欧米諸国を結ぶ世界最大級の旅客数を誇るハブ空港

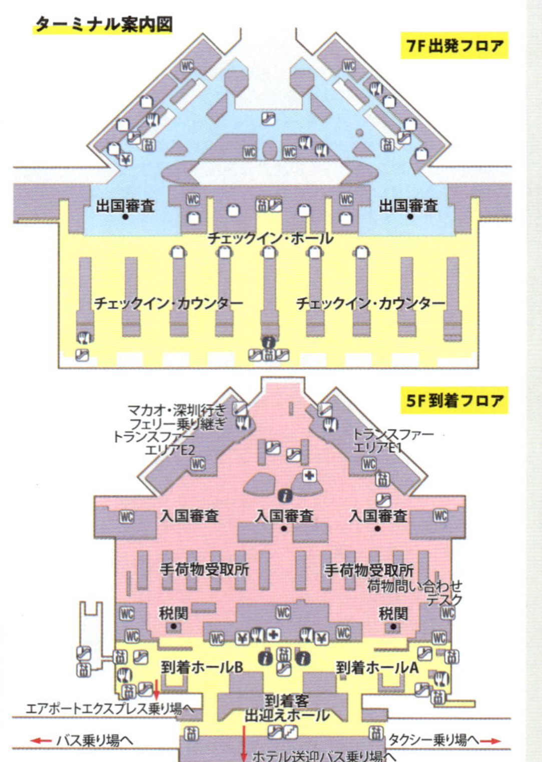

エレベーター　エスカレーター　トイレ　銀行/両替所
案内所　飲食店　ショップ　救護所　喫煙所

空港でしておきたいこと

両替

空港内の到着エリアでも両替できるが、レートはあまり良くないので市内までの交通費など最小限の両替をしておこう。

SIMカードの購入

空港内の売店1010で販売している。設定をやってくれるので、設定は苦手という人にはおすすめ。広東語と英語が通じる。

オクトパス・カードの購入

使い方は日本の交通系ICカードとほぼ同じ。MTRの駅窓口やコンビニで購入・チャージが可能。運賃割引もあり、便利でお得。

空港からホテルへはスムーズにアクセスしたい！

フライトで疲れていても迷わずホテルに向かえるよう、事前にシミュレーションしておこう。

空港から中心部へ

香港国際空港から中心部への交通手段は4種類。それぞれ所要時間や料金が異なるので、到着時刻や旅のスケジュールに合わせて選びたい。

エアポートエクスプレス（AEL、機場快線）

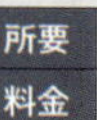

所要	約22分
料金	HK$105～

空港と香港中心部を結ぶ鉄道。空港から最速で香港中心部まで移動でき、機場駅は空港の到着ロビーに直結。停車駅は博覧館駅、機場駅、青衣駅、九龍駅、香港駅の5駅のみ。運行時間は5時54分～翌0時48分で、ほぼ10分間隔で運行している。

①**チケットを買う**
駅の券売機にて現金またはカードで購入する。オクトパス・カード（→付録P.25）も利用でき、現金で乗る運賃からHK$5割引になる。

②**乗り場へ向かう**
チケット（またはオクトパス・カード）は自動改札の黄色いセンサーにかざす。

③**乗車する**
新幹線のような座席になっていて、好きな場所に座ってOK!

エアバス

所要	約45～70分
料金	HK$34.60～

2階建てバス。空港バスターミナル（Bus Terminus、巴士總站）から九龍エリアや香港島エリアの主要ホテル、MTR駅などの主要地を巡る。降車時はBELLボタンを押して降車。1階の手荷物置き場を車内のモニターに映しているので置き引き被害の心配も少ない。

①**チケットを買う**
バス乗り場案内左手にあるチケットオフィスで事前に購入するか、オクトパス・カードを用意しておこう。

②**乗り場へ向かう**
市内中心部への主なバスはA11（香港島方面）、A21（九龍島方面）。バスの車体やバス停の表示をよく確認しよう。

③**乗車する**
前のドアから乗車。料金は先払いで、チケットを提示またはオクトパス・カードをタッチ。

タクシー

所要	約30～50分
料金	HK$300～

専用のタクシー乗り場から乗車。行き先によってタクシーの色が異なる。料金はメーター制。トランクにスーツケースを入れる場合はHK$6かかる。トンネルや橋の通行料が別途加算される（往復分）。HK$1未満は切り上げ。24時間運行しているので便利。

香港市内行き

ランタオ島行き

新界行き

香港のお金のことを知っておきたい！

通貨単位は香港ドル（HK$）。市場や公共交通機関はクレジットカードが使えないので、現金と上手に使い分けたい。

通貨

HK$1 ＝ 約20円

（2024年7月現在）

通貨は香港ドル(HK$)、香港元(圓)と表記されることも。補助単位は香港セント(HK¢)で、HK$1=HK¢100。紙幣は6種類、硬貨は7種類。香港では香港上海銀行、中国銀行、スタンダード・チャータード銀行の3つの銀行と香港政庁(HK$10紙幣のみ)が紙幣を発行していて、発行元の銀行によって紙幣のデザインが異なるが、色は統一されている。HK$1000紙幣は使えないところが多いので注意。海外で多額の現金を持ち歩くのは危険なので、両替は最小限にとどめ、クレジットカードを併せて利用しよう。

紙幣

HK$10

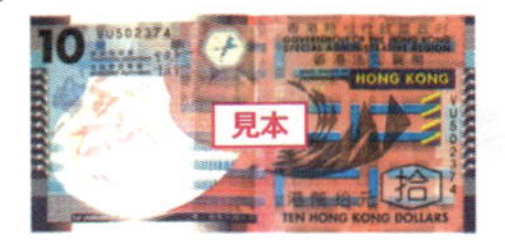

HK$20

HK$50

HK$100

HK$500

HK$1000

硬貨

HK¢10

HK¢20

HK¢50

HK$1

HK$2

HK$5

HK$10

両替

どこで両替をすればいい?

空港、銀行、ホテル、ATM、街なかの両替所などで両替できる。お得に両替したい人には重慶大厦の両替所がおすすめ。ほとんどの銀行では日本円から香港ドルに両替する際、HK$50の手数料がかかる。

クレジットカードでキャッシング

VISAやMasterなど大手国際ブランドのクレジットカードを持っていればATMで現地通貨を引き出せる。各カード会社の規定による手数料や利息がかかるので出国前に暗証番号(PIN)とともに確認をしておこう。

海外トラベルプリペイドカード

クレジットカード会社が発行するプリペイドカード。あらかじめ日本でお金をチャージして、現地でクレジットカード同様に使用できるもの。銀行口座や事前の信用審査が不要、使い過ぎの防止にもなる便利なカードだ。

物価

あまり日本と物価は変わらない。交通費は比較的日本より安め。ホテルやレストランでの食事代は日本より高めな場合も。屋台や茶餐庁など、下町グルメはリーズナブルなところが多い。

メトロ(オクトパス・カード利用時) HK$4.5～(約90円～)

タクシー初乗り HK$24(約480円)

ミネラルウォーター(500㎖) HK$10～(約200円～)

点心 HK$25～(約500円～)

缶ビール HK$10～(約200円～)

お粥 HK$25～(約500円～)

滞在中に知っておきたい香港のあれこれ！

文化や習慣、マナーの違いを把握しておけば香港の滞在も快適に。トラブルにならないようしっかりチェックしよう。

飲料水

水質的には問題ないとされているが、水道水を貯めておくタンクの衛生管理状態で変わってくるので、あまり生水は飲まないほうがよい。コンビニやスーパーなどでミネラルウォーターを購入しよう。

トイレ

ほとんどが洋式の水洗トイレ。ショッピングセンターやデパートなどのトイレが清潔でおすすめ。街なかに公衆トイレは少なく、あまり清潔とはいえない。トイレ入口に鍵がかかっている場合は店員から鍵を借りて利用しよう。

各種マナー

路上で
たばこの吸殻を捨てたり、みだりにつばを吐いたり、禁煙区域での喫煙などに多額の罰金が科せられる。

公共交通機関で
MTR構内や路線バスなどの公共交通機関内での飲食は禁止。ガムを噛む、ペットボトルから水分補給をすることも禁止。違反すると最大でHK$2000(日本円で約4万円)の罰金を科されることもあるので、紛らわしい行為も避けるようにしたい。また、タクシー、バス、ミニバスなどの後部座席ではシートベルトの着用が義務付けられており、違反すると最大でHK$5000(日本円で約10万円)の罰金、または3カ月以内の禁固刑を科されることも。運転手がいつでも声をかけてくれるとは限らないので頭に入れておこう。

ショップで
デパートやブティックで陳列されている商品に勝手にさわったり試着するのはNG。店員にひと声かけよう。香港のショップの閉店時間は店員が店を出る時間なので、閉店間際の入店は避け、時間に余裕をもって行こう。

レストランで
麺をすするときは音をたてない。丼や大きなお碗を持ち上げるのもNG。食べ残しは頼めば持ち帰り用に包んでもらえる。ローカルな食堂ではお茶や水が出されないこともあるが、飲み物の持ち込みが許可されている。

服装・ドレスコード

高級レストランや高級ホテル以外では、基本的にドレスコードはなし。上記のような場所でも、特別な行事などがなければスマートカジュアルでOK。短パン・サンダルなど、よほどラフな服装でなければ断られることはない。

電化製品の使用

電圧は日本と異なる

香港の電圧は220V、電流は50Hz。日本から電化製品を持参する際には変圧器内蔵のものか海外旅行対応製品を使うほか、変圧器が必要。電化製品に100～240Vと表示されていればそのまま使用できる。誤って使用すると過熱して火災などの危険があるので注意しよう。

プラグはBFタイプが主流

電源プラグの形状は日本と異なっており、3つに分かれたBFタイプが一般的なので電源の変換プラグは必須。

BFタイプ

度量衡

日本と同じcm(センチ)、g(グラム)、ℓ(リットル)などのメートル法が使われている。「公斤」はkg、「公克」はgを表す。市場の量り売りなどでは「1斤(約600g)」や「1両(約37.5g)」「1升(約1.8ℓ)」も使われることがある。

郵便

はがき／手紙

日本へ航空便で送る場合、所要4～7日ほど。はがきはHK$4.90、封書は20gまでHK$5.4、50gまでHK$12.3。「AIRMAIL」と「JAPAN」と記載しておけば、宛名は日本語でも可。

小包

郵便局で送る場合、航空便で1kg以下はHK$293。プラス0.5kgでHK$12ずつ追加される。EMSは所要2～4日。500gHK$199、1kgHK$212。

飲酒と喫煙

飲酒、喫煙とも18歳から。

公共の場での飲酒

香港では、飲酒についての厳しいルールやマナーはないが、泥酔するほど飲まないのは基本。

喫煙は喫煙スペースで

屋内は喫煙スペース以外では全面禁煙。レストランやホテルも例外ではない。たばこのポイ捨てが禁止されており、違反者にはHK$3000(日本円で約6万円)の罰金が科せられる。一部のレストランやバーでは屋外に、公園などでは決められた場所に喫煙エリアを設けていることがある。

電話・インターネット事情を確認しておきたい!

情報収集に便利なインターネット接続や、いざというときの電話のかけ方をおさらいしておこう。

電話をかける

国番号は、日本が81、香港が852

香港から日本への電話のかけ方

ホテル、公衆電話から

ホテルからは外線番号 → 001（国際電話の識別番号） → 81（日本の国番号） → 相手の電話番号

※固定電話・携帯電話とも市外局番の最初の0は不要

携帯電話、スマートフォンから

0または＊を長押し → 81（日本の国番号） → 相手の電話番号

※機種により異なる

※固定電話・携帯電話とも市外局番の最初の0は不要

固定電話からかける

ホテルから 外線番号（ホテルにより異なる）を押してから、相手先の番号をダイヤル。たいていは国際電話もかけることができる。公衆電話は携帯電話の普及で減っており、街なかでもほとんど見かけない。

日本へのコレクトコール

緊急時にはホテルから通話相手に料金が発生するコレクトコールを利用しよう。

◉**KDDIジャパンダイレクト**

☎800-96-0081

オペレーターに日本の電話番号と話したい相手の名前を伝える

携帯電話／スマートフォンからかける

国際ローミングサービスに加入していれば、日本で使用している端末でそのまま通話できる。滞在中、香港の電話には8桁の番号をダイヤルするだけでよい。日本の電話には、＋を表示させてから、国番号＋相手先の番号（最初の0は除く）。同行者の端末にかけるときも、国際電話としてかける必要がある。

海外での通話料金 日本国内での定額制は適用されず、着信時にも通話料が発生するため、料金が高額になりがち。ホテルの電話やIP電話を組み合わせて利用したい。同行者の端末にかけるときも日本への国際電話と同料金。

IP電話を使う インターネットに接続できる状況であれば、SkypeやLINE、Viberなどの通話アプリを利用することで、同じアプリ間であれば無料で通話することができる。SkypeやViberは有料プランで香港の固定電話にもかけられる。

インターネットを利用する

香港では無線LANでインターネットに接続できるWi-Fiサービスが主流。美術館や図書館、ホテル、デパート、カフェで無料で利用できる。メールアドレスを登録したり、パスワードを入手してから接続する必要がある場合もあるので、心配な人は日本からWi-Fiルーターをレンタルするのも一案。海外への電話もインターネットの通話サービスを利用するなどして、通話料金をお得に。

インターネットに接続する

海外データ定額サービスに加入していれば、1日1000～3000円程度でデータ通信を行うことができる。通信業者によっては空港到着時に自動で案内メールが届くこともあるが、事前の契約や手動での設定が必要なこともあるため、よく確認しておきたい。定額サービスに加入せずにデータ通信を行うと高額な料金となるため、不安であれば電源を切るか、機内モードやモバイルデータ通信をオフにしておくことがおすすめ。

SIMカード／レンタルWi-Fiルーター

頻繁に利用するならば、現地SIMカードの購入や海外用Wi-Fiルーターのレンタルも検討したい。SIMフリーの端末があれば、空港やショッピングセンターで購入できるSIMカードを差し込むだけで、インターネットに接続できる。購入にはパスポートが必要。Wi-Fiルーターは複数人で同時に使えるのが魅力。料金はさまざまだが大容量プランで1日500～1500円ほど。

	カメラ／時計	Wi-Fi	通話料	データ通信料
電源オフ	×	×	×	×
機内モード	○	○	×	×
モバイルデータ通信オフ	○	○	$	×
通常 モバイルデータ通信オン	○	○	$	$

○利用できる　$料金が発生する

オフラインの地図アプリ

地図アプリでは、地図データをあらかじめダウンロードしておくことで、データ通信なしで利用することができる。機内モードでもGPS機能は使用できるので、通信量なしで地図データを確認できる。

病気、盗難、紛失…。トラブルに遭ったときはどうする？

事故や病気は予期せず起こるもの。万が一のときにもあわてずに行動したい。

治安が心配

香港は治安の良い都市だが、観光客はスリや置き引き、ひったくりに狙われやすい。油断せずに、荷物から目を離さないなど十分な注意を払おう。

緊急時はどこへ連絡？

盗難やけがなど緊急の事態には警察や消防に直接連絡すると同時に日本領事館にも連絡するように。

警察・消防・救急 ☎999

領事館

在香港日本国総領事館
中環 MAP 付録P.13 E-3
☎2522-1184 所康楽広場8号交易広場第一座46～47F HP www.hk.emb-japan.go.jp/

病院

EMC香港日本人クリニック
中環 MAP 付録P13 D-3
☎5746-1234/5418-7122（日本語OK）
所中環皇后大道中38号曼尼大廈707

港安医院
香港唱場 MAP 付録P.3 E-4
☎3651-8888 ☎2835-0509（日本語OK）
所司徒拔道40号

病気・けがのときは？

海外旅行保険証に記載されているアシスタンスセンターに連絡するか、ホテルのフロントに医者を呼んでもらう。海外旅行保険に入っていれば、提携病院で自己負担なしで安心して治療を受けることができる。

パスポートをなくしたら？

① 最寄りの警察に届け、紛失・盗難証明書（Loss Memo）を発行してもらう。

② 証明書とともに、顔写真2枚、本人確認用の書類を用意し、在香港日本国総領事館に、紛失一般旅券等届出書を提出する。

③ パスポート失効後、「帰国のための渡航書」の発行を申請。渡航書には帰りの航空券（eチケット控えで可）が必要となる。「帰国のための渡航書」発行の手数料はHK$140、所要約2日。

新規パスポートも申請できるが、発行に所要3営業日、戸籍謄本（抄本）の原本が必要となる。手数料は、5年有効がHK$610、10年有効がHK$890。支払いは香港ドルの現金のみ。

クレジットカードをなくしたら？

不正利用を防ぐため、カード会社にカード番号、最後に使用した場所、金額などを伝え、カードを失効してもらう。再発行にかかる日数は会社によって異なるが、翌日～3週間ほど。事前にカード発行会社名、紛失・盗難時の連絡先電話番号、カード番号をメモし、カードとは別の場所に保管しておくこと。

現金・貴重品をなくしたら？

現金はまず返ってくることはなく、海外旅行保険でも免責となるため補償されない。荷物は補償範囲に入っているので、警察に届け出て紛失・盗難証明書（Loss Memo）を発行してもらい、帰国後保険会社に申請する。

外務省
海外安全ホームページ&たびレジ

外務省の「海外安全ホームページ」には、治安情報やトラブル事例、緊急時連絡先などが国ごとにまとめられている。出発前に確認しておきたい。また、「たびレジ」に渡航先を登録すると、現地の事件や事故などの最新情報が随時届き、緊急時にも安否の確認や必要な支援が受けられる。

旅のトラブル実例集

スリ

事例 1 MTRの駅構内や路上でコインやハンカチを落としたり、背中に飲み物やクリーム状のものを付けられたり、気を取られている隙に、後ろにいた共犯者から財布や貴重品を抜き取られる。

事例 2 MTR車内や買い物中に、背後からカミソリなどでバッグを切り裂き、中身を抜き取られる。

対策 多額の現金や貴重品はできる限り持ち歩かず、位置を常に意識しておく。支払いのときに、財布の中を他人に見えるようにしない。バッグはいつも手にかけてしっかりと抱えるように持つ。

置き引き

事例 1 写真撮影を頼まれ荷物を足元に置いたところ、いつの間にか荷物がなくなる、カフェや朝食のレストランで場所取りに置いたカバンがなくなるなど。

事例 2 ホテルのチェックイン、チェックアウトのときに、足元に置いていた荷物を盗まれる。

対策 けっして荷物からは目を離さない。席取りには、なくなってもよいポケットティッシュなどを置く。2人以上の場合は、必ず1人は荷物の番をする。トートバッグなどふたのないカバンは使用しない。

ぼったくり

事例 1 タクシーでメーターが動いていなかったり、メーターと異なる金額を請求された。

事例 2 レストランやショップの会計で、注文していないものや買っていないものが請求された。

対策 悪質なタクシードライバーは少ないが、メーターがきちんと動いているかは確認しておく。特別料金が最後に加算されるため、悪質な請求と勘違いすることも。納得できなければレシートを求め、タクシー会社に連絡を。レストランでは、有料のおしぼりやつきだしを出されることがあるが、必要なければ、はっきりと断ろう。

旅を豊かで楽しくするスポット

INDEX

インデックス

観光

グルメ

カフェ&スイーツ

※順番は日本語の音読みの五十音順になっています

◆ ナイトスポット

◆ ショッピング

◆ リラックス

◆ ホテル

◆ マカオ

STAFF

● **編集制作 Editors**
K&Bパブリッシャーズ K&B Publishers

● **取材・執筆 Writers**
伊藤麻衣子 Maiko Ito
遠藤優子 Yuko Endo
新崎理良子 Riyoko Arasaki
成沢拓司 Takuji Narisawa
堀江典子 Noriko Horie
勝部 悠人 Yujin Katsube

● **撮影 Photographers**
安田真樹 Maki Yasuda
成沢拓司 Takuji Narisawa

● **コーディネート Coordinate**
大塚悠介(Compass Communications) Yusuke Ohtsuka

● **カバー・本文デザイン Design**
山田尚志 Hisashi Yamada

● **地図制作 Maps**
トラベラ・ドットネット TRAVELA.NET
フロマージュ Fromage

● **表紙写真 Cover Photo**
iStock.com

● **写真協力 Photographs**
PIXTA
iStock.com
香港政府観光局
マカオ観光局
香港経済新聞(Compass Communications)

● **総合プロデューサー Total Producer**
河村季里 Kiri Kawamura

● **TAC出版担当 Producer**
君塚太 Futoshi Kimizuka

● **エグゼクティヴ・プロデューサー Executive Producer**
猪野樹 Tatsuki Ino

おとな旅プレミアム
香港(ホンコン) マカオ

2024年9月30日 初版 第1刷発行

著　　者 TAC出版編集部(しゅっぱんへんしゅうぶ)
発 行 者 多 田 敏 男
発 行 所 TAC株式会社 出版事業部
(TAC出版)

〒101-8383 東京都千代田区神田三崎町3-2-18
電話 03(5276)9492(営業)
FAX 03(5276)9674
https://shuppan.tac-school.co.jp

印　　刷 株式会社 光邦
製　　本 東京美術紙工協業組合

ISBN978-4-300-11273-1
N.D.C.292